J'PARLE TOUT SEUL

QUAND

JEAN NARRACHE

• La maquette de la page couverture est de
Normand Hudon

DISTRIBUTEUR EXCLUSIF:
AGENCE DE DISTRIBUTION POPULAIRE INC.
1130 est, rue de La Gauchetière
Montréal   (523-1600)

EMILE CODERRE

J'PARLE TOUT SEUL QUAND JEAN NARRACHE

LES ÉDITIONS DE L'HOMME LTÉE
1130 est, rue de La Gauchetière
Montréal 24

DU MÊME AUTEUR

« Les signes sur le sable »   1922.

* * *

« Quand j'parl' tout seul. »
   (a mérité la médaille de la
Société des Poètes Canadiens, 1932.)
Editions Albert Lévesque, 1932. — épuisé

* * *

« Histoires du Canada (Vies ramanchées) »
Editions de l'A. C.-F., 1937. — épuisé

* * *

« J'parl' pour parler »
Editions A. C.-F.
Editions Bernard Valiquette, 1939.

DÉDICACE

A ma "Vieille", la compagne toujours jeune, toujours adorable de mes bons et des mes mauvais jours.

A M. Charles Renaud, directeur du service du Bien-Etre Social de la ville de Montréal, qui s'est toujours dévoué pour les gueux ... avec l'espoir qu'il me réservera d'avance une place au Centre de Réhabilitation Meurling.

J. N.

PRÉFACE

Il y aura bientôt trente ans que Jean Narrache vous apparaissait pour la première fois avec son feutre verdi, son habit fatigué et ses souliers éculés. Il vous faisait part de ses réflexions de flâneur le long des rues et le long de la vie, de la vie qui l'avait bien souvent marâtré, c'est vrai, sans toutefois lui faire perdre un certain sens de l'humour. Du reste, vous le savez, un humoriste, c'est un type qui rit jaune pour faire oublier qu'il s'attendrit.

Vous me direz que j'ai tort de revenir parler tout seul, puisque la vie a tellement changé depuis 1932. Certes oui! la vie a changé et pour le mieux, il n'en faut pas douter. Voyons un peu. Nous avons eu la deuxième grande guerre en 1939, me ferez-vous remarquer. "Nous avons eu", dites-vous? Pourquoi employer le passé? La deuxième grande guerre, celle qui devait mettre fin à tout jamais à toutes les guerres, n'est pas terminée, vous le savez bien. Grâce à un truc merveilleux découvert par les marchands de fournitures de guerre, elle dure toujours. Seulement, on l'appelle la guerre froide. Mais froide ou chaude, c'est toujours la guerre, et il en coûte au delà d'un milliard par année pour la faire durer, et l'on s'y habitue. C'est un peu comme la soupe dont les premières gorgées sont brûlantes et nous font grimacer et qu'on finit par avaler sans sourciller quand elle s'est refroidie. Evidemment, la fabrication perpétuelle de nouveaux armements donne du travail à beaucoup de gens. Oui! et ces mêmes gens se font arracher le plus gros de leur salaire par des taxes de plus en plus élevées afin de permettre à notre sage gouvernement de faire fabriquer encore plus d'engins de guerre. C'est merveilleux de logique. Ceci me rappelle la maman qui passait, chaque semaine, acheter une bouteille d'huile de foie de morue à la pharmacie. Le pharmacien lui demanda comment elle parvenait à décider ses mioches à avaler cette huile affreuse. "C'est facile, répondit-elle, je leur donne cinq sous chaque fois qu'ils en prennent." Et le pharmacien de s'enquérir de ce que les enfants faisaient de leurs cinq sous. "Je leur mets de côté et je leur achète une autre bouteille d'huile, quand ils n'en n'ont plus." répondit la maman.

...Et puis, autre beau progrès; nous avons la bombe atomique, mes amis. Ça, c'est une fichue belle invention dont les gueux comme moi peuvent se réjouir. Pensez donc, on a toutes les chances du monde de crever sans avoir à payer le médecin et le croquemort. De nos jours, au prix où tout est rendu, il faut être riche "foncé" pour avoir les moyens de mourir; ça coûte plus cher que pour vivre.

...Ah! et puis j'oubliais que les gens vont dans la lune maintenant. Toutefois, remarquons que ceci n'est pas aussi nouveau qu'on serait porté à le croire. Depuis combien de millénaires les poètes vont-ils dans la lune et, cela, sans fusées compliquées? Habitués à vivre sans manger dans un pays qui, pourtant, engraisse si bien ses cabaleurs d'élections, les poètes canadiens sont d'une maigreur qui les prédestine à ce genre de voyage.

...Autre changement: l'automation. Quel progrès! quel avantage! Voyons plutôt. Il y a trente ans, nombre d'écrivains, d'interprètes, de chanteurs, de chanteuses, de musiciens vivaient passablement bien, grâce à la radio. Aujourd'hui, à cause de l'automation, nous n'entendons guère plus de sketches à la radio. Par contre, nous nous

faisons abrutir à la journée longue par de la musique américaine en boîte, par des discours en boîte, par des chansonnettes américaines, françaises ou canadiennes presque toutes plus idiotes les unes que les autres. Je viens d'employer l'expression "musique américaine". Que voulez-vous? C'est la façon courante de désigner cet ahurissant vacarme qui n'a pas de nom dans aucun pays civilisé. Reste la télévision où certains chanceux gagnent leur vie. Ils n'ont qu'à bien se tenir. Déjà s'en vient l'ère des films racornis tels que ceux qu'on nous donna lors de la grève des artistes; vous vous souvenez?

Mon "papier" s'allonge et je ne puis passer en revue tous les mirobolants changements survenus depuis 1932, mais vous pouvez le faire vous-même et en tirer les conclusions qui s'imposent. Je mentionnerai cependant qu'en 1932, nous étions en pleine dépression. Aujourd'hui, c'est tout le contraire, nous sommes en pleine régression économique, ce qui, à ce qu'on dit à Ottawa, n'est pas du tout la même chose, même s'il y a plus de chômeurs et partant plus de gueux que jamais. N'allez pas prétendre qu'on veut jouer sur les mots! Dépression ou régression, en tout cas, c'est une période où les gueux sont encore plus gueux que jamais et les millionnaires encore plus riches que naguère. Qu'il y ait des gens qui sont immensément et même dégoûtamment riches, Jean Narrache s'en fout éperduement, lui qui n'a jamais voulu se résigner à perdre son temps à faire de l'argent. Mais il ne peut s'empêcher de songer aux gueux d'aujourd'hui comme il songeait à ceux de 1932. La misère a évolué comme tout le reste, mais elle n'a pas diminué. C'est encore pour eux que Jean Narrache parle; c'est encore pour ceux qui ne parlent jamais qu'il ose élever la voix. Même si le décor a changé, il retourne encore *errer dans le Parc Lafontaine et le long des rues pour y regarder passer les pauvres gueux, les malchanceux, les éternels mal foutus, les "under dogs" de notre terrible société. Ils sont ses frères et pouvez-vous lui reprocher de les aimer, de les comprendre et de partager leur humour parfois amer, mais jamais méchant.*

Bon sens de bon sens! on m'a toujours dit que je ne savais pas écrire... comme si je ne m'en étais jamais douté moi-même! Voilà bien des lignes que je gaspille et je n'ai pas trouvé le moyen d'employer les expressions courantes des gens qui écrivent bien: "prise de conscience, dépouillement, engagement, dimensions!" Il faut que j'en fasse mon deuil: je ne serai jamais membre de l'Académie canadienne comme monsieur Rumilly ou comme l'Imprimeur de la Reine! Il ne me reste d'autre alternative que de me faire pendre comme mon vénéré maître François Villon; c'est le seul moyen qui me reste de m'élever au-dessus de mes contemporains.

Mes chers lecteurs, quand vous aurez lu ce livre, vous serez peut-être désappointés. Si j'étais plus riche, je vous offrirais de vous remettre votre piastre, mais que voulez-vous, ce n'est pas ma faute, si je suis... Jean Narrache et sans le sou!

Jean NARRACHE

Juin 1961

AVERTISSEMENT

À MES LECTEURS,
SI J'EN AI

Attendez-vous pas que j'vous ponde
Des vers qui s'raient meilleurs qu'ceux-là ;
J'suis comm' la plus bell' fill' du monde
Qui peut pas donner plus qu'elle a.

J.N.

LES RÉFLEXIONS D'UN
PETIT CINQ CENNES
(inédit)

Aujourd'hui, ceux qu'ont rien qu' cinq cennes
Aim'nt autant dir' qu'ils sont cassés.
Oui ! à ct'heur, j'compt' pus pour la peine
Moi qu'étais quelqu'un dans l'passé.

Dir' que j'valais un verr' de bière,
Un' bonne assiettée d'fêv's au lard,
Un' point' de tarte ou ben d' tourtière...
J'valais plus qu'un billet d'p'tit char.

A la tavern' j'pay' pus d'quoi boire ;
Personne' os', dans les restaurants,
M'laisser sur la tabl' comm' pourboire
Sans passer pour êtr' peigne en grand.

Quelqu'un qui m'donn' se déshonore,
Les quéteux aim'nt mieux pas m'avoir.
Puis v'là que j'viens d'en r'perdre encore :
j'vaux mêm' pus autant qu'«Le Devoir» !

Bayett' ! j'suis loin d' trouver ça rose
De m'voir tomber jusqu'à c'point-là.
Mais j'me consol' ; il reste un' chose
Qui me r'donne encore un éclat.

Oui ! tout's les s'main's j'ai ma revanche
Comm' vous l'savez tout un chacun :
Quand notr' curé quêt' le dimanche,
Là, mes vieux, cinq cenn's c'est QUELQU'UN.

☆ ★ ☆

BLÂMONS PAS
LES PROFESSEURS
(inédit)

Moi, j'ai pas fait un cours classique ;
j'été rien qu'à l'écol' du rang.
Ça fait qu' c'est ça qui vous explique
que j'pass' pour être un ignorant.

Mais à l'écol' d'l'expérience,
j'ai r'çu mon diplôme à coups d'pied
où c'est qu' l'instruction puis la science
rentr'nt jamais sans nous estropier.

Ça fait qu' quand y'en a qui parolent
contr' nos grand's universités,
nos collèg's puis nos p'tit's écoles,
j'os' rien dir' ; j'suis pas fûté.

Seul'ment, avant de mettr' la faute
sur les maîtr's, les prêtr's puis les Soeurs,
faudrait ben se d'mander, nous autres,
quels élèv's qu'ont les professeurs.

Pensons, avant de j'ter la pierre,
à tous ceux qui doiv'nt se saigner
en travaillant à p'tit salaire
pour se dévouer à enseigner.

Si l'z'enfants qu'on envoie instruire
sont des vraies cruch's et des nonos,
les professeurs ont beau s'détruire,
y'en f'ront jamais des Papineau...

Quand un' bonn' poul' couv' des oeufs d'dinde,
— mêm' la meilleur' d'votr' poulailler, —
faut pas la blâmer ni vous plaindre
qu'ça soit des dind's que vous ayez !

☆ ★ ☆

SOIR D'HIVER DANS
LA RUE STE-CATHERINE

A soir, sur la rue St'-Cath'rine,
Tout l'mond' patauge et puis s'débat
En s'bousculant d'vant les vitrines,
Les pieds dans d'la neig' chocolat.

Eh oui ! la neig' blanch' en belle ouate
Comm' nos beaux rêv's puis nos espoirs,
Comm' c'est pas long qu'ell' r'tourn' en bouète
Un' fois qu'elle a touché l'trottoir !

La foule, ell', c'est comme un' marée
Qui moutonne en se j'tant partout
Comme un troupeau d'bêt's épeurées
Que tout l'tapage a rendu fou.

Pourtant, ça l'air d'êtr' gai en ville.
Mêm' la plaint' des plus malchanceux
S'perd dans l'train des automobiles
Et d'z'autobus pleins comm' des oeufs.

Y'a du vieux mond', y'a des jeunesses ;
Ça march', ça r'gard', ça jâs', ça rit.
C'a ben l'air que tout's les tristesses
Dorm'nt dans les coeurs endoloris.

Y'a ben des jeun's coupl's qui s'promènent,
Bras d'ssus, bras d'ssous, d'un air heureux,
Puis des vieux, tout seuls, l'âme en peine,
Qui march'nt pour pas rentrer chez eux.

Les lamp's électriqu's jaun' verdâtre
Meur'nt puis s'rallum'nt en s'couraîllant
Tout l'tour des d'vantur's des théâtres,
Qui montr'nt des films ben attrayants.

Ah ! les p'tit's vues, quel curieux monde !
Les beaux films d'richesse et d'amour,
Ça fait oublier, un' seconde,
Notr' pauvr' vie plat' de tous les jours.

On s'croit heureux, on s'croit prospère
Tandis qu'on est au cinéma.
Y'a-t-il pas jusqu'aux millionnaires
Qu'oublient leurs ulcèr's d'estomac ? ...

Des bureaux annonc'nt qu'ils financent
Les pauvres gueux qui veul'nt d'l'argent ;
C'est d'z'usuriers qu'ont un' licence
Pour étriper les pauvres gens.

Des crèv' faim rentr'nt dans des mangeoires
S'emplir d'Hot-Dogs ou d' spaghetti
Et d'café plein d'chicorée noire ;
Au moins ça leur tromp' l'appétit.

D'autr's qui sont un peu plus à l'aise
Vont entendr', dans des boît's de nuit,
Brâiller des chansonnett's françaises
En buvant du whiskey réduit.

La chanteuse est dépoîtrâillée,
Ses couplets sont pas mal salauds,
Mais ça fait passer un' veillée
Sans penser aux troubl's du bureau.

D'autr's qui veul'nt se bourrer la panse
Rentr'nt dans des gargott's à grands prix
Pour manger d'la cuisin' de France
Et boir' du vin comme à Paris.

Ah ! leur Fameus' cuisin' française
Qu'est cuit' par des chefs italiens,
Puis qu'est servie par des anglaises
Dans des restaurants d'syriens !

Puis l'vin qui boiv'nt, c'est d'la piquette
Baptisée par la Commission ;
C'est du vrai vinaigr' de toilette
Bon pour donner d'z'indigestions...

D'autr's vont chez les apothicaires
S'ach'ter des r'mèd's ou d'la lotion ;
D'autr's qu'ont pas l'estomac d'équerre
Rentr'nt fair' remplir leurs prescriptions.

D'autr's long'nt la rue, pleins d'idées noires,
Les yeux dans l'vide et puis l'dos rond...
D'autr's rentr'nt dans les tavern's pour boire :
Ils sont tannés d'vivr', ils s'soul'ront.

Un'tavern', c'est si confortable !
C'est du grand luxe au prix d'chez eux.
Joues dans les mains, coud's sur la table,
Ils r'gard'nt la broue d'leur verr' graisseux.

Puis, tranquill'ment ils tett'nt leur bière...
— Ils grimaç'nt, ça goût' l'arcanson ! —
Tout en oubliant leur misère,
Leur femm', leurs p'tits à la maison.

Ici, ils sont loin d'leur marmâille ;
Y'voient pas leur femm' n'arracher ;
Y'entend'nt pas l'p'tit dernier qui brâille
Ni les autr's qui veul'nt pas s'coucher...

...Mais un coupl' qu'un beau rêve entête
Pens' à s'monter un « p'tit chez eux » ;
Ils r'gard'nt les bers et les couchettes
Dans un' vitrine... ils sont heureux !

Ils sont heureux, la vie est belle !
Ils s'voient déjà dans leur maison,
Ell' tout' pour lui, lui tout pour elle :
Les v'là déjà en pâmoison ! ...

Ils sont heureux ! ... Ça vaut la peine
D'arrêter d'marcher pour les voir.
Ils sont heureux dans la rue pleine
De gens qu'ont l'air au désespoir !

Ça, ça me r'fait aimer la vie
Qu'est si chienn' pour les vieux pourtant,
Vu qu'ça m'rappell' la bell' magie
De s'aimer quand on a vingt ans.

☆ ★ ☆

DANS LA LUNE

Oui ! dans la lune, y'a pas à dire
Ça doit être un ben beau pays,
Puisque c'est par là que se r'tirent
Ceux qu'en ont assez d'par ici...

Mais ceux qu'ont la bours' ben garnie
A vendr' du whiskey d'Miquelon
S'en vont vivre en Califournie,
Loin des agents d'la Commission.

Nos millionnair's qu'ont d'l'inquiétude
D'payer leurs tax's et leurs impôts
Emport'nt leu fortune aux Bermudes,
Et viv'nt heureux dans leurs châteaux.

Des râleux qui pay'nt pas leurs dettes
Pour pouvoir vivr' comm' des richards
Se sauv'nt sans tambour ni trompettes
Puis s'bâtiss'nt des chalets dans l'Nord.

Y'en a un lot d'vaillants-la-poche
Qu'ont t'jours d'z'affair's à brasser
Mais jamais un sou dans leur poche,
Qui s'en vont, l'été, à Percé.

Paraît mêm' que c'est au Mexique
Que s'sauv'nt les financiers véreux ;
Mais c'est dans la lun', c'est classique,
Que se r'fugient les amoureux.

C'est dans la lun', ben loin d'la terre,
Que vont s'sauver tous les song'-creux,
Tous les gars aux goûts littéraires
Qu'ont l'coeur trop plein et l'ventr' trop creux.

☆ ★ ☆

ENGUEULADE
À UN IDÉALISTE

Tu m'as ben l'air d'être en bibite,
Quoi c'est qui va pas à ton goût ?
As-tu perdu un pain d'ta cuite,
C't'effrayant comm' t'es marabout !

Ma foi d'gueux, faut qu'tu sois malade
Pour te plaindr' puis pas être heureux ;
Tous les ans t'as un' bell' parade
Pour t'rapp'ler la «gloir' des aïeux ».

Ta patrie, tu la trouv's pas belle ?
Tu t'sens pas fier d'êtr' Canayen
Quand les band's jouent « Yankee Doodle »
A plein's trompett's, le vingt-quatr' juin ?

Ça t'donn' pas d'cramp's patriotiques,
Tu t'sens pas fier comme un bossu
A voir les chars z'allégoriques
Avec les noms des marchands d'ssus ?

Mais, non, toi t'es t'un artistique
Qui crèv' de faim à fair' de l'art,
Au lieu d'êtr' comm' les gens pratiques
Pétant d'santé à s'fair' du lard.

Eh ben ! travaill', t'es t'un' bonn' bête !
Etouff' tes rêv's, rentr' tes désirs.
Continue d'croir' qu'faut être honnête
Dans c'monde icit' pour réussir.

Des gens, la gueul' plein' d'éloquence
te chant'nt qu'c'est beau l'honnêteté.
Tandis c'temps-là, y perd'nt pas d'chance
d'exploiter ta crédulité.

N'en faut des honnêt's, des bonasses,
des gars qui s'laiss'nt toujours emplir ;
sans ça, comment qu'ils f'raient, les crasses ?
Y'auraient pus d'chanc' de s'enrichir !

...Ça s'raid laid si t'étais avide ;
tâch' de croir' ça si t'en as l'coeur,
surtout quand t'as l'estomac vide...
Puis prends ben gard' d'êtr' critiqueur !

Quand on est pauvre, il faut rien dire
Mais s'laisser pleumer au trognon ;
Faut pas penser su' c'qu'on peut lire...
Faut mêm' pas avoir d'opinion.

Pas de r'biffage et pas de r'proches !
Prouve à tout l'mond' que t'as pas d'fiel ;
Tandis que d'autr's te vid'nt tes poches,
Lèv' les mains puis les yeux au ciel !

...L'Idéal, c't'un' chose embêtante ;
C'est beau d'en avoir tout son saoul,
Mais pour s'ach'ter un' « bean saignante »,
L'Idéal, ça vaut pas trent'-sous.

T'as d'l'Idéal ? tu rest's honnête ?
Tu vis du travail de tes mains ?
J'te l'répèt', t'es rien qu'un' gross' bête !
T'as c'que tu mérit's, ... crèv' de faim !

T'es Canayen, t'es catholique,
Quoi c'est qu'tu voudrais d'plus, mon vieux ?
Renval' ta plaint' dans l'jus d'ta chique ;
Fais risett', voyons ! T'es t' heureux ! !

☆ ★ ☆

J'PARL' POUR PARLER

J'parl' pour parler... j'parl' comm' les gueux,
Dans l'espoir que l'bruit d'mes paroles
Nous engourdisse et nous r'console...
Quand on souffre, on s'soign' comme on peut.

J'parl' pour parler... ça, je l'sais bien.
Mêm' si j'vous cassais les oreilles,
La vie rest'ra toujours pareille
Pour tous ceux que c'est un' vie d'chien.

J'parl' pour parler pas rien qu'pour moi,
Mais pour tous les gars d'la misère ;
C'est la majorité su' terre.
J'prends pour eux autr's, c'est ben mon droit.

J'parl' pour parler... Si j'me permets
De dir' tout haut c'que ben d'autr's pensent,
C'est ma manièr' d'prendr' leur défense :
J'parl' pour tous ceux qui parl'nt jamais !

LES SKIEURS
(inédit)

Quand on pens' qu'y'en a qu'ont l'aplomb
D'aller dans l'Nord en plein hiver
Pour se fair' g'ler comme des grélons !
J'suis ben mieux chez nous à couvert.

Y'a ben assez qu' j'en arrache
A rester d'bout sur mes deux pieds
Pour marcher sur l'plancher des vaches ;
J'irais pas en skis m'estropier.

Y'a des skieurs de fantaisie
Qui mont'nt dans l'p'tit Nord à pleins trains
Pour s'ramasser un' pleurésie
Ou ben pour se casser les reins.

Ils march'nt embarqués sur deux plinthes
Avec l'air de s'évertuer
A s'fair' glisser à tout' éreinte
Comm' s'ils avaient envie de s'tuer.

Les skieuses se promèn'nt en culottes.
Y'en a qu'ont l'air des échalas,
Puis d'autr's qui sont tell'ment boulottes
Qu'on a peur qu'ell's vol'nt en éclats.

Oui ! y'en a ben qu'ont un' charpente.
A se d'mander si c'est certain
Qu'ell's f'ront pas écrouler l'mon'-pente
En embarquant quelqu' bon matin.

Y'a ben des skieurs qui vont en file
S'prom'ner dehors malgré l'nordet.
Mais d'autr's font du ski d'« Chastefille »,
Ben confortabl's dans leur chalet...

Des jeun's vont s'prom'ner loin d'la ville
En disant qu'c'est pour fair' du ski ;
Mais y'en a qui sont moins habiles
Sur l'ski qu'sur les verr's de whiskey.

Les vrais skieurs, c'est ben l'p'tit nombre ;
Les autr's rest'nt à l'hôtel au chaud.
C'est-il ça, comm' dirait Valdombre,
Un' Histoir' des Pays d'en Haut ?

☆ ★ ☆

ASSURÉ
CONTRE LES ACCIDENTS

En récompens' de nos services,
L'bourgeois nous a fait un présent ;
Y nous a donné un' police
D'assuranc' contr' les accidents.

Si j'me faisais mal à l'ouvrage,
Au lieu d'crever d'faim pis d'brailler,
Je r'cevrais la moitié d'mes gages,
Tant que j'pourrais pas travailler.

Pis, si y'arrivait que j'me fasse
Tuer à l'ouvrag' par accident,
Ma femme aurait un beau mill' piasses
Te-suite après mon enterr'ment.

Mill'piass's ! pensez-y don', mill'piasses !
Avec ça, ma femm' s'achet'rait
Un restaurant d'crème à la glace ;
A vivrait comme un' rein', pas vrai ?

A pourrait êtr' sans inquiétude,
Rapport qu'ça paye, un restaurant.
Mon Jos pourrait fair' ses études,
Pis ma Jeanne irait au couvent.

Mill' piass's ! Dir' que faudrait que j'meure
Pour que tout l'mond' viv' ben chez nous !
C'est pas de c'que la mort m'épeure,
Mais j'aim' ben ça, à vivr', moé-tou...

Mill' piass's ! ... C'est pas un' bagatelle !
Ma femm' s'trouvr'ait rich' pour toujours ! ...
Mon Yieu ! J's'rais ben content pour elle,
Si j'me faisais tuer queuqu' bon jour...

PENSÉES POUR
LA ST-SYLVESTRE

Ben oui ! encore un an qu'achève,
Encor douz' mois qui sont passés
En emportant un peu d'nos rêves
Puis en nous laissant plus cassés.

Ah ! faut pas dir' ça pour se plaindre !
D'abord, ça sert à rien d'chiâler.
Puis, y'a tant d'chos's qu'on pouvait craindre
Mais qu'à pas fallu avaler !

On s'est empesté l'existence
A s'fair' peur en r'gardant l'av'nir ;
Et puis, nous v'là qu'à soir on pense
Qu'tout ça, ç'a fini par pas v'nir.

Pensez-y puis vous aller m'croire :
Au lieu d'jouir d'la vie comme ell' vient,
On s'est bourré la têt' d'histoires
Qui nous ont fait souffrir pour rien.

Quand on r'gard' notr' passé, faut s'dire :
« Ç'a pas t'jours été ros', mes vieux ;
Seul'ment, ç'aurait ben pu êtr' pire. »
Comm' çà on peut se compter chanceux.

On s'figur' trop qu'la vie est dure ;
On est là qui r'chign' puis qui s'plaint.
Si on r'gardait c'que d'autr's endurent
On trouv'rait p'-t'être qu'on s'plaint le ventr' plein.

On trouv' qu'le bonheur vient pas vite,
Puis quand il vient, c'pas pour longtemps.
Mais s'i'v'nait rien qu'quand on l'mérite,
Pensez-vous qu'i' viendrait souvent ?

Des fois, on s'plaint de pas êtr' riches,
D'pas êtr' rentiers, comm' de raison,
D'pas vivr' fournis d'pièc's et d'babiche,
D'pas avoir d'auto ni d'maison.

On s'imagin' qu'la vie est rose
Pour tous les gars qui r'suent l'argent,
Et qu'd'avoir de mêm' des tas d'choses,
C'est ça l'bonheur ! ... Band' d'innocents ! ! !

☆ ★ ☆

A LA DÉRIVE

Oui, quand on a du gris aux tempes
Et qu'on sent qu'on a plus vingt ans,
Y'a ben des soirs que, sous la lampe,
On r'pense à nos jours d'l'ancien temps.

On feuill'te son coeur comme un livre
Où c'est qu'des pag's au coin plié
Marqu'nt des passag's qu'on voudrait r'vivre
Et qu'ça s'rait trop trist' d'oublier.

On r'pense à tout c'qu'on a pu dire
De mots d'amour, d'mots enjoleurs
A cell' qui, rien qu'à nous sourire,
Nous avait ensorcelé l'coeur.

Notr' rêv' s'en va à la dérive,
Comme un bateau qui vient d'casser
Son câble et qui s'éloign' d'la rive,
Sur la mer houleus' du passé.

Pas d'matelots, pas d'capitaine,
Pas d'voil's, surtout pas d'gouvernail,
Notr' bateau court la prétentaine
Toujours au larg', ben loin du ch'nail.

L'bateau qu'a cassé son amarre
Descend, des fois, jusqu'aux flots bleus
Et fil' sans que rien le rembarre,
Du côté des pays heureux.

D'autr's fois, quand la mer se démonte,
Son sel nous fait pleurer les yeux...
C'est quand les souvenirs remontent
Du fond du gouffre des adieux.

Oui ! quand on a du gris aux tempes
Et qu'on repense à nos vingt ans,
Les yeux mouillés, sous l'or d'la lampe,
On r'fait nos voyag's d'l'ancien temps.

☆ ★ ☆

AU PIED
DE LA CRÈCHE

P'tit Jésus qui ris dans ta crèche
En m'tendant tes deux bras pot'lés,
Toi qu'as voulu naîtr' dans la dèche
Pour aider les gueux mal att'lés,

Tu sais que j'suis un misérable
Pas plus rich' qu'l'ân', l'boeuf ou l'berger !
Moi aussi, c'est dans les étables
Que j'suis habitué d'm'héberger.

J'suis rien qu'un quéteux d'la grand'route
Qui s'en va, la besace au dos,
Mais ta bonté, jamais j'en doute
Et j'te dis d'mon mieux mon Crédo.

J'ai pas des trésors à pleins coffres
Ni des tas d'cadeaux hors de prix ;
J'ai rien qu'mon coeur, et puis j'te l'offre
Avec l'argent d'mes cheveux gris.

C'est tout c'que j'ai ! ... Ça m'fait d'la peine
D'avoir rien d'mieux qu'ça à t'offrir.
Y'en a tant d'autr's qu'ont les mains pleines
Mais qui sav'nt jamais les ouvrir !

Ah! dir' que t'es venu su' la terre
Pour que, tout l'monde, on soit heureux
Et pour qu'on viv' tous comm' des frères,
Au lieu d'toujours s'tirer aux ch'veux.

Dir' que t'es descendu d'ta gloire
Pis d'ton beau trône au Paradis,
Et qu'y en a tant qui veul'nt pas croire
Aux mots pleins d'espoir que t'as dits !

Dir' que partout y'a d'la misère
Et du malheur de tous côtés,
Qu'y a des meurtr's, des massacr's, des guerres,
Parc' que personn' veut t'écouter !

R'gard' pas seul'ment qu'les matamores
Qu'ont s'mé la hain' dans l'monde entier ;
P'tit Jésus, r'gard', y'en a encore
Tant d'innocents qui font pitié !...

...P'tit Jésus, souris dans ta crèche
En nous tendant tes bras pot'lés.
Aie pitié d'tout l'mond' dans la dèche,
Mêm' si on sait pas l'mériter !

NOS AUTOBUS
(inédit)

Moi, j'trouv' pas qu'ça valait la peine
D'encombrer nos rues d'autobus
Au lieu d'nos p'tits chars à huit cennes,
Puis'qu'on n'arrache encore plus.

Ça beau marcher à gazoline,
C'est rien qu' des caban's à moteur,
C'est des super-boît's à sardines
Confortabl's comm' des vieux tracteurs.

On s'embarqu' là-d'dans à la file
Par un' p'tit' port' larg' comme la main.
Faut absolument qu'on s'empile ;
Pour trent' plac's on est quatre-vingt.

Des gens à qui ça caus' pas d'bile,
C'est un bon lot d'nos échevins
Qui roul'nt dans leur automobile
P't'-êtr' payée avec des pots d'vin.

C'est pas eux autr's qui s'donn'nt le trouble
De prendr' les « transports en commin »,
D'attendr' leur tour en rangées doubles
A la pluie ou au froid sur l'coin.

Nous autr's, mes vieux, tout c'qu'on peut faire,
C'est d's'empiler dans l'z'autobus
Qui mèn'nt pas où on a affaire,
Mais qui vont rien qu'au terminus.

On est rien qu'des contribuables,
Des pauvr's imbécil's de payants,
Des électeurs et des taxables ;
On perdrait notr' temps en brâillant.

Dir' qu'la Société Protectrice
Des Animaux a tant d'égards
Pour les cochons et les génisses
Qui voyag'nt sur le C.P.R. !

☆ ★ ☆

MÉDITATIONS D'UN GUEUX
AU PIED DE LA CROIX

A soir que c'est l'Vendredi Saint,
J'ai comm' queuqu'chose en moi qui se plaint,
Comme' queuqu'chos' qui m'fait mal, quand
[j'pense,
Mon pauvr' Seigneur, à vos souffrances.
J'ai hont', j'suis trist', j'suis déconfit
Chaqu' fois qu' je r'gard' votre crucifix.
Ah ! je l'sais ben, ma foi vous semble
Comm' la flamb' du lampion qui tremble !...
Pendant qu'je r'pass' dans ma mémoire,
Votr' vie, votr' mort, tout' votre histoire,
Me sembl' que j'rêv', que j'ai l'pesant :
J'suis avec vous, vous êt's vivant ;
Je vous suis partout, j'peux vous entendre,
Mais j'peux rien fair' pour vous défendre
Et tout s'pass' comm' quand vous viviez..
Nous v'là dans l'p'tit bois d'oliviers ;
Vous v'nez d'tomber en agonie
En voyant qu'votr' vie est finie.

Oui ! ils sont finis les beaux jours
Que la foul' suivait vos discours,
Le jour de l'entrée triomphale
Et des hosannas en rafales ;

Les jours que c'était votr' bonheur
De soulager tout's les douleurs,
De dire aux gueux mordus d'souffrance
Des mots qui parlaient d'espérance ;
De s'mer les miracl's à plein's mains,
Le long des rout's et des grands ch'mins ;
De promettr' vos Béatitudes
A ceux qui s'rongeaient d'inquiétudes ;
D'multiplier l'poisson et l'pain
Pour nourrir ceux qui crevaient d'faim ;
De rendr' pur comm' l'eau d'la fontaine
L'coeur sali d'la samaritaine ;
De sortir Lazar' d'son cercueil
Pour consoler ses soeurs en deuil...

(Paraît qu'rien qu'à toucher votre ombre,
On s'sentait moins gueux et moins sombre) —
Mais, à soir, tout ça c'est fini !
Nâvré d'sueurs dans l'Gethsémani,
Ecrasé sous les crim's d'la terre,
Vous êt's seul devant votr' misère ;
Tout seul à r'garder votr' malheur
Qui tourne en rond au fond d'votr' coeur.
Devant votr' pauvre âme abimée,
(Comme un film aux vues animées)
Vous voyez passer tout l'av'nir
Et ç'a ben d'quoi vous fair' blémir,
Vu qu'ça vous donn' la trist' chance
De vous rendr' compt' tout d'suit' d'avance,

Qu'chacun d'nous autr's est un pécheur
Qui cherche à vous marcher sur l'coeur,
Et de voir que votr' sacrifice,
Seigneur, rest'ra sans bénéfice
Pour tant qui r'fus'ront d'croire en vous
Et qui os'ront vous traiter de fou...
Ah ! mêm' ceux qui dis'nt qu'ils vous aiment
Sont des ingrats qui vous blasphèment !
Ça, ça fait plus mal qu'les soufflets,
Les épin's, les clous, les coups d'fouets,
Vu qu'votr' pauvr' coeur, quand on l'offense,
Souffr' plus d'ça qu'd'un million d'coups d'lance.
...Et dir' que j'sais tout ça, Seigneur,
Et qu'pourtant, ça m'rend pas meilleur,
Mais qu'tout's mes promess's solennelles
Ça fond comme du beurr' dans la poêle !...
Tandis que vous suez jusqu'au sang
Sans même un mot compatissant,
Y'a pas un d'vos discipl's qui veille.
Non ! ils dorm'nt sur leurs deux oreilles !
Pourtant, Seigneur, vous êt's l'ami
Qu'ils trouvaient jamais endormi...

...Mais v'là du mond' dans la clairière
Avec des gourdins, des lumières ;
Ils vienn'nt vous surprendre à p'tit pas.
En têt' de leur band', v'là Judas,

Judas ! Ah ! l'visage à deux faces !
Pour vous trahir, il vous embrasse !...
Ils sont v'nus à la gross' noirceur
Vous arrêter comme un voleur.
Y'étaient ben trop lâch's pour attendre
Qu'il fass' plein jour pour v'nir vous prendre ;
C'est ben pour dir' que la Bonté,
On n'attaqu' jamais ça d'clarté !
Mais, vous, au lieu d'y chercher noise,
Vous voulez mettr' Judas à l'aise,
Vu qu'vous savez, comm' de raison,
Qu'sans amis y'a pas d'trahison,
Et vous lui dit's : « Bonjour, ami ! »
Comm' s'il vous avait pas trahi.
« Bonjour, ami ! » Quel coeur de pierre !

Entendr' ça sans rentrer sous terre !
...Puis, dans la nuit couleur de peur,
Couleur d'horreur et de malheur,
Pour que notr' salut s'accomplisse,
Vous marchez vers votr' sacrifice...
Vos discipl's qui s'sont réveillés,
Les yeux encor tout embrouillés,
Vous r'gard'nt partir, ... puis, par prudence,
Ils s'mett'nt à suivre, mais à distance.
Ils sont prudents... On l'est pas moins :
Quand on vous suit, Seigneur, c'est d'loin !
...Vous v'là tombé entre les griffes
Des deux vauriens, Anne et Caïphe

Eux autr's qui mèn'nt des vies d'damnés
Cherch'nt un'raison d'vous condamner.
Mais malgré les faux témoignages
Ils trouvent rien ; ça les enrage.

Leurs avocats les plus retors
Os'nt pas dir' c'qu'a été votr' tort.
Votr' tort, Seigneur? C'été, par 'xemple,
De chasser les banquiers du temple !
C'est là qu'votr' trouble a commencé.
Tant qu'vous avez rien qu'bavassé
D'amour, de bonté, d'espérance,
Ça leur dérangeait pas la panse.
Ils vous prenaient pour un jaseur,
Un fou, un poète, un rêveur.
Mais, vous l'z'avez pincés dans l'maigre,
Ces honnêt's messieurs d'la Haut' Pègre,
En bousculant leurs coffres-forts !
C'pour ça, Seigneur, qu'ils veul'nt votr'mort,
Et c'est rien qu'par hypocrisie...
Qu'vous êt's accusé d'hérésie ! ...
Tandis que votr' vie est en jeu,
Pierr' tranquil'ment s'chauff' devant l'feu.

Seigneur, y'est comm' moi, il vous aime ;
Ça l'empêch' pas d'vous r'nier tout d'même
Quand on d'mand' s'il est votre ami ! ...
Mais le v'là qui pleur', qui blémit ;

Il vient d'entendr' le coq qui chante
Là-bas, dans l'ros' d'l'auror' montante...
Ah ! qu'il faut que j'pleur' mes lâch'tés,
Moi 'ssi, Seigneur, pour me rach'ter ! ...
...Ils veul'nt votr' mort ! Y'ont tell'ment hâte
Qu'aux p'tit's heur's nous v'là chez Pilate.
Pilate, lui, c'est un coeur mou,
Un ménageux de chèvre et d'chou.
Y'est comm' ben des gens qu'on rencontre,
Qui os'nt pas s'dir' pour vous ni contre.
Il voudrait ben vous protéger,
Vous sauver..., mais sans s'déranger.
Il s'rait mêm' prêt à vous fair' grâce
Mais pas au risqu' de perdr' sa place ! ...

...Pour qu'les amis soient satisfaits,
Pilat' vous vous fait battre à coups d'fouets.
Ils fess'nt avec leurs fouets à noeuds
Des coups à vous couper en deux.
Me sembl' qu'les coups qui tomb'nt en pluie
Sur l'biais de vos épaul's meurtries
Vienn'nt me r'tontir jusque su'l'coeur...
...Puis, v'là qu'ils vous couronn'nt, Seigneur !
Couronn' de gloire ou ben d'affront,
Un' couronn', ça vous meurtrit l'front ;
Qu'ell' soit en or ou en pierr's fines,
C'est toujours un' couronn' d'épines . ...
...Vous voyez c'qu'ell vaut, notre justice ;
Vous v'là condamné au supplice !

...C'est encor de mêm' su' la terre ;
C'est Barabbas qu'on vous préfère,
C'est encor' lui qu'est acclâmé,
Qu'est honoré, suivi, aimé ! ...

Puis on vous train' d'peine et d'misère
Pour vous monter jusqu'au Calvaire.
Il faut monter, vu qu'la Douleur,
Ça fait monter, c'est comm' l'honneur ;
Tandis qu'il faut rien qu'on s'abaisse
Pour se ramasser d'la richesse...
...Paraît qu'c'est dans l'sabl' du Calvaire
Qu'est enterré Adam, notr' père ;
Ils vont planter votr' croix là-d'dans,
Tout juste au-d'ssus d'la foss' d'Adam,
Pour que votr' sang lav' dans son onde
L'front du premier pécheur du monde...
Puis, v'là qu'tout seul, entr'ciel et terre,
Vous priez en pleurant votre Père...
Mais vl'à qu'tout l'monde hurle à la fois
En s'bousculant au pied d'votr' croix !
Vous d'mandez d'où qu'ça vient ces cris ?
Ça vient d'ceux qu'vous avez guéris !

Vos aveugl's vous r'gard'nt, les yeux louches ;
Vos muets blasphèment à plein' bouche ;
Vos sourds écout'nt en ricanant :
Vos boîteux dans'nt en s'dandinant...

Ecoutez-les ! Leurs cris de rage
Pass'nt sur l'Calvaire en vent d'orage !
Ecoutez ! C'est l'humanité
Qui vous remercie d'vos bontés ! ...
Pour vous r'venger à votr' manière,
Tout c'que vous dit's, c'est un' prière :
"Ah ! pardonnez-leur, vu qu'au fond,
Mon père, ils sav'nt pas ce qu'ils font"...
Oui ! c'est d'ma faut', Seigneur, j'vous crois,
Si vous v'là cloué su' la croix.
Quoi fair' ? quoi dir' ? ... J'ai pas d'parole
Qui vous soulag', qui vous r'console.
Seul'ment, j'pense à tout's vos bontés
Et j'ai plus hont' d'mes méchanc'tés.

D'vant votr' souffranc', tout c'que j'peux faire,
C'est d'rester d'même, à g'noux à terre,
Les yeux dans l'eau, à vous r'garder,
Comm' mon chien quand i' m'voit pleurer...
Et moi, Seigneur, qu'est mêm' pas bon
Autant que l'pir' des deux larrons,
J'vous d'mande au pied d'votr' crucifix,
Un p'tit racoin dans l'Paradis !

PROSPÉRITÉ
(inédit)

Tous les ex-quéteux sont prospères ;
v'là qu'ils viv'nt au-d'là d'leurs moyens.
ils sont tous heureux en pépère :
Pus d'Secours Direct ni d'vie d'chien !

Y'ont tous les yeux plus grands qu'la panse ;
ils s'pass'nt mêm' des nécessités
pour s'ach'ter du luxe et d' l'aisance :
j'vous l'dis, c'est la prospérité.

Ils ont tous tell'ment un' peur bleue
qu' le mond' les pense encor dans l'trou
puis à tirer l'yâbl' par la queue,
qu'ils vont s'fair' voir chez Ruby-Foo.

Finis les banquets d'beans saignantes
et les r'pas d'moutarde au pain sec
Comme avant mil-neuf-cent-quarante ;
Faut du steak... puis du Scotch avec !

Quoi ? Ménager quand ils sont riches
En cas qu' tout ça aurait un' fin ?
Les prenez-vous pour un lot d'chiches
Ou pour un' band' de Séraphins ?

Ben, allez donc ! Vogu' la galère !
Ils dépens'nt tout à tours de bras.
A quoi ça sert des gros salaires,
Mes vieux, si on les gaspill' pas ?

Ça dépens', ça jouit, ça s'démène,
ça s' trémouss' puis c'est affairé.
Ça pay' tout un' piass' par semaine,
puis viv' les paiements différés !

Vous allez dir' qu'ils perd'nt la tête
puis qu'ils s'conduis'nt comm' des déments ?
Ils dépens'nt trop puis ils s'endettent ?
Ils font comm' notr' gouvernement.

L'gouvernement fait comm' tout l'monde ;
il ménag' pas un sapré sou.
L'argent d' nos tax's danse un' vraie ronde ;
Il gaspill' comme un vrai p'tit fou !

Nos homm's d'état sont des génies
qui parl'nt à travers leur chapeau
au Conseil des Nations Unies
tandis qu' notr' argent coule à flots.

Leur faut un' nuée d'secrétaires,
d' sous-secrétair's et d'autr's commis
pour s'tourner les pouc's à ne rien faire
et s'prom'ner aux frais du pays.

Nos députés ont un' fringale
d'étudier puis s'meubler l'esprit
en suivant des cours, ... Place Pigale
et dans tous les beuglants d'Paris...

On est au temps des sept vach's grasses,
mais quand les maigr's auront leur tour,
tout c' mond'-là viendra d'mander grâce
aux bureaux d' plac'ment puis d'secours !

CONTE DE NOËL

Vous parlez d'un' veill' de Noël !
C'nuit-là, i' poudrait à plein ciel ;
I'vous faisait un d'ces frets noirs
Qu'on g'lait tout grandis su' l'trottoir.
Ça traversait mon capot d'laine
Comm' si ç'avait été d' l'inyienne.
Le mond', ça passait en band's drues ;
Y'en arrivait d' tout's les p'tit's rues,
L'nez dans l'collet et puis l'dos rond
En tâchant d' longer les perrons,
Chacun à deux mains su' son casque
Pour pas qu'i' part' dans la bourrasque.
On s'dépéchait tous pour la messe,
Vu que l'gros bourdon d'la Paroisse
Grondait les premiers coups d'minuit
Qu'ça faisait comm' trembler la nuit.
...Noël ! Noel ! La joie d'la fête
Me montait du coeur à la tête ! ...

Tout d'un coup, contre un magasin,
qui c'que j'vois, gl'ée comme un raisin,
Gross' comm' le poing ? Un p'tit bout d'fille
Roulée dans un mant'let d'guénille !
Ça tap' si elle avait sept ans.
Ell' dormait en claquant des dents

D'ssour une enseigne illuminée
D' « JOYEUX NOEL ET BONNE ANNEE ».
La morve au nez, elle r'chignait
Tandis qu'la neige qui poudrâillait
Tombait su'elle en d'ssour d'l'enseigne
Comm' du sucre en poudr' su'un beigne.
Vit'ment, j'lai pris comme un' moman,
Comm' un prêtr' qu'a l'saint-sacrement,
Puis j'lai rentrée dans un' « Binn'rie »
Ousque c'tait chaud comme un' chauff'rie.
D'un tour, j'y ai ôté sa capine,
Son vieux mant'let, ses p'tit's bottines,

Ses bas d'coton qu'étaient des trous,
Puis, avec ell' su' les genoux,
J'été m'asséoir d'vant la « tortue ».
La p'tite avait l'air d'un' statue ;
J'voulais la t'nir à la chaleur
Pour qu'à vint reprendr' des couleurs.
Ell' pleurait pus, ell' grouillait pas,
Ell' dormait d'même entre mes bras.
J'osais tant seul'ment pas bâiller,
J'avais trop peur d'la réveiller.
Dormir, c'est si bon pour les gueux !
C'est ben l'seul temps qu'on est heureux.
Quand on s'réveille, il faut qu'on r'pense
Au cauch'mar d'la vie qui r'commence...
Les gars d'la « binn'rie » parlaient bas ;
Ça les figeait ; ils mangeaient pas.

Y'avaient beau avoir la couenn' dure,
— Ça s'durcit à forc' qu'on 'n'endure ! —

J'crois qu'ça leu' faisait mal en-d'dans
De r'garder pâtir c'pauvre enfant...
Rien qu'à la voir, la p'tit' bougresse,
Ça nous r'virait l'coeur en tristesse !
Ah ! sa pauvr' p'tit' fac' de martyre
Qu'était jaun' comme un cierge en cire ;
Ses p'tit's jamb's croch's en manch' de faulx,
Ses bras maigr's qu'étaient rien qu'des os ! ...
Ses beaux ch'veux blonds couleur de miel
Comm' les archang's en ont au ciel
Etaient tout mêlés en étoupe ! ...
V'lan ! ell' rouvr' les yeux ; des soucoupes !
Des yeux qu'ont l'air effarouché
De ceux qu'en ont ben arraché.
Puis, ell' se r'plant', sans dire un mot,
Le nez dans ma manch' de capot.
D'vant qu'a s'rendorm', j'y'ai dit : « La p'tite,
« Tu mang'rais-tu un' patat' frite ?

« Un' soupe aux pois ? Un peu d'porc frais ?
« Un' point' de tart' ? Ça te r'mettrait.
« J'te r'gard' ; t'as l'ventr' collé aux fesses ;
« Ben sûr,, t'étouff's pas dans ta graisse ! »
J'avais eu just' le temps d'm'asseoir
Avec elle en fac' du comptoir

Qu'sans dire mot, a s'darde à deux mains
Puis qu'a s'prend un gros chignon d'pain.
Ell' dévorait d'un air peureux
En me r'gardant avec des yeux,
Des yeux de pauvre chien de ruelle
Qui vient d'trouver un os à moelle !
Ah ! j'avais l'âm' ravigotée
Rien qu'd'entendr' ses p'tit's dents gâtées
Qui grichaient su'la croût' de pain ;
J'sais si ben c'que c'est qu'avoir faim !
J'pensais : « Ell' va tout galafer,
« La soup', la tart' et puis l'café ! »

Ben non ! elle a rien voulu, non !
Pas d'soup', pas d'tart', pas d'bonbons !
Les gars essayaient d'l'enjoler,
D'y fair' risett', d'la fair' parler
Pour tâcher qu'a sourie un brin.
A souriait pas, a disait rien,
Sa p'tit' têt' blond' dans l'creux d'mon bras,
C'tait comm' si elle entendait pas.
J'y'ai dit : « Sais-tu qu'v'là les p'tit's heures ! »
« Ta mèr' doit t'chercher ? » ... V'la qu'a pleure !
« J'gag'rais ben que t'es désertée !
« T'as peur d'manger un' tripotée
« Tout à l'heur' quand tu vas rentrer ?
« Viens avec moi, j' te défendrai. » ...
Ell' m'a répond par soubresauts
Avec un' voix plein' de sanglots,

En me r'gardant d'ses yeux d'misère :
« Moman, a dort au cimetière...,
« Papa, lui, il boit comme un trou... ,
« A soir, y'est rendu j'sais pas où...
« J'étais tout' seule à la maison ;
« La peur m'a pris comm' de raison... »
En l'écoutant, moi puis les gars,
J'vous dis qu'on avait l'caquet bas !
J'sais pas trop c'qui m'a possédé
Mais j'me suis mis à y d'mander :
« Tu l'connais-tu, toi, l'p'tit Jésus ?
Sais-tu que c'te nuit y'est r'venu
pour mettre un peu d'joie su' la terre
dans l'coeur des ceux qu'ont d'la misère ?
D'mand'z'y queuq'chos'. Ça s'ra pas long
qu'moi j'vais y fair' ta commission.
Veux-tu un' catin qu'a des ch'veux,
puis qui pleure en s'fermant les yeux ?
Un p'tit caross' ? un p'tit traîneau ?
Des bottin's neuv's ? des bons bas chauds ?

Un' gross' toupie qui joue des airs ?
Un beau chien rouge en nénan' clair ? ... »
(Justement, j'avais assez d'cennes
pour y'ach'ter ça pour ses étrennes.)
En répons', la p'tit' s'met à m'dire
su'l' ton d'un' personn' qui délire
puis qui rêvass' tout en dormant :
« Dit's au Jésus qu'j'veux ma moman,

rien qu' ma moman ! »... Pauvr' p'tit' bougresse,
C'tait pas aisé d' t'nir ma promesse !
Quoi fair' ? quoi dir' ? quoi y conter ? ...
D'un coup, a s'met à gigoter ;
son coeur battait qu'j' pouvais l'entendre !
Puis, avant que j'aie l'temps d' comprendre,
en rouvrant les yeux, a fait « Ah ! »
Puis, à r'tomb' raid' mort' dans mes bras.
L'petit Jésus, en voyant sa peine,
V'nait donc d'y donner ses étrennes
En l'emm'nant au ciel su' l'moment
Pour qu'ell' vint r'trouver sa moman.

☆ ★ ☆

ADIEU,
MES VIEILLES BOTTINES

Vous v'là finies ! C'pas qu'ça m'arrange,
Va ben falloir que j'march' nu-pieds.
Mais faut que j'vous jette aux vidanges,
Vos s'mell's sont pus rien qu' du papier.

J'dis pas que j'vous ai ménagées
A marcher du matin au soir
Pour m'chercher d'la vache enragée...
On' n'a-ti battu des trottoirs !

Vous m'avez ben servi, j'l'avoue !
Pour m'protéger comme des bons chiens,
Vous avez marché dans la boue
Presqu'autant qu'un politicien.

En fin d'compte, y'a pas différence
Entr' les gueux puis les s'mell's, c'est su :
Pour avancer dans l'existence
Faut pas s'gêner pour marcher d'ssus.

Adieu, pauvr's vieill's, faut qu'ça finisse,
A c't'heur', j'vous lâch' ! ... C'est ben admis
Que quand ils nous sont pus d'service
On abandonn' mêm' ses amis ! ...

NOS ÉGLISES NOUVELLES

Pauvr' p'tit Jésus, dans ton étable,
Quand t'es v'nu au monde à Noël,
Ça d'vait pas êtr' ben confortable.
Des fois, t'as dû r'gretter ton ciel !

Dans c'temps-là, ça pouvait s'comprendre
Qu'on t'log' ben mal, mon pauvr' Seigneur ;
Y'avait pas d'radio pour apprendre
Aux gens que c'était toi, l'Sauveur...

Des fois, notr' curé nous explique
Qu'les pauvr's comm' les rich's d'l'ancien temps
Te bâtissaient des basiliques,
Mêm' s'il fallait qu'ils seign'nt à blanc.

Dans c'temps-là, faut qu'on l'réalise,
La plus bell' bâtiss' qu'on voyait
Dans l'plus pauvr' villag', c'tait l'église.
Elle était bell' comme un palais.

A c't'heur', on bâtit comme églises
Des vraies baraques qui font pitié.
Voyez-vous, faut pas qu'ça réduise
La richess' des francs-tenanciers !

Pauvr' p'tit Jésus, c'est-il croyable
Qu'on soit r'dev'nus des mécréants ?
On t'log' pas mieux que dans l'étable
Où c'est qu't 'es né, y'a deux mille ans !

A c't'heur, faut croir' qu'la foi nous manque,
Vu qu'dans les grand's vill's d'aujourd'hui,
Les plus bell's bâtiss's, c'est les banques,
Les hôtels puis les cafés d'nuit.

☆ ★ ☆

ESPOIRS

J'sus pas un rongeur de balustes,
J'sus pas non plus d'la croix d'S.-Louis,
Mais j'crois qu'y'a un bon Yieu qu'est juste
Qui nous attend dans l'paradis.

Par là, personn' pâtit ou r'nâque,
Par là, tout l'monde a l'coeur content
Comm' quand on sort de fair' nos pâques,
Pis, là, on mang' pour notr' creus' dent.

Quand j'arriv'rai au ciel, S.-Pierre
M'dira : « Te v'là, mon gabareau ! ...
Vu qu't'as toujours fait tes prières,
L'Seigneur t'attend dans son bureau. »

L'Seigneur s'ra là avec sa mère
La St'-Vierg', les ang's et les saints.
I' m'dira : « Quiens, c'est toé, vieux frère !
J'sus content de t'serrer la main.

« Tu sais, quand j'étais su' la terre,
J'étais comm' toi, simple ouvrier.
J'me rappell' de mon temps d'misère ;
J'sais comm' c'est dur de travailler.

« J'sus satisfait d'la vie qu't'as faite ;
R'pos'-toé, tu l'as ben mérité !
Serr'tes outils, icit', c'est fête,
Fêt' légal' pour l'éternité.

« Quiens ! Ecout', c'est ta vieill' qui chante ;
Ell't'guett' su' son perron là-bas.
J't'assur' qu'ell' va êtr' ben contente,
Ell' avait peur que tu vienn's pas.

« C'est fini, l'inquiétud', les grèves !
Icit', t'as ta plac' pour toujours ;
Icit', t'auras tout c'que tu rêves ;
Icit', c'est dimanch' tous les jours ! »...

C'est là qu'ell' s'ra la récompense
De tous les gars comme'moé qu'ont rien...
Si on n'avait pas nos croyances
Quoi qu'i' rest'rait dans notr' vie d'chien ?

☆ ★ ☆

JASETTE
À NOTRE-DAME
(inédit)

J'sais ben qu' ma toilette est pas belle ;
j'ai pas l'temps d'aller m'rhabiller,
excusez ! J'rentr' dans votr' chapelle
tout en m'en r'venant d' travailler.

Me sembl' que votr' visag' se penche
comm' pour sourire à tous les gueux,
bonn' Sainte-Vierge en robe blanche,
aux bras tendus sous votr' châl' bleu.

J'voudrais vous dir' ma r'connaissance
pour tout ce que j' vous dois d' bienfaits ;
j' jargonn' si mal que, quand j'y pense,
ça m'rabat tout d' suit' le caquet.

Pour êtr' capabl' d'vous fair' comprendre
tout c'que mon pauvre coeur voudrait,
j'peux pas trouver les mots ben tendres,
les mots en or que ça prendrait.

Pourtant, quand j' veux faire un' jasette
à Saint-Joseph ou Notr'-Seigneur,
c'est curieux comm' j'ai d' la parlette :
ça march' tout seul, puis à plein coeur.

Ça s' comprend, j' leur parl' d'homme à homme,
vu qu'y' étaient, comme moi, ouvriers.
Quand mêm' que j'suis pas d' la haut' gomme,
j' me sens à l'ais' pour les prier.

Seul'ment, c'est une autr' pair' de manches
pour vous parler, ô Rein' des Cieux,
M' faudrait un parler du dimanche,
vu qu'vous êt's la Mèr' du Bon Dieu.

Ecoutez ma pauvre prière,
c'est cell' d'un gars la larme aux yeux ;
écoutez-la, vous êt's ma mère,
vous, Notre-Dam' des Malchanceux !

Ma mèr' d' la terr', j' l'ai pas connue,
j'me souviens pas qu'ell' m'ait bercé ;
mais quand j' tais p'tit, vous êt's venue
dans mes rêv's pour la remplacer.

J' vaux pas grand chos', j'suis en guenilles ;
j'vous en prie, faut pas m'en vouloir.
C'est d' mêm' dans les meilleur's familles ;
y faut toujours un mouton noir.

J' suis l' mouton noir ! J'suis la bête
qui sait rien fair' qu' a du bon sens.
J'suis comme une espèc' de poète ;
pardonnez-moi, j'ai ça dans l'sang.

Oui ! j'fais des vers, j' barbouill' des livres !
J' mourrai, comme ils dis'nt, indigent ;
mais j' m'en fous ! j'ai l'plaisir de vivre
sans perdr' mon temps à fair' d' l'argent.

Dans la vie, c'est comm' ça qu' ça s'passe ;
quand ben mêm' qu'on s'dégrimonerait,
on peut pas tous êtr' « premier d'classe »,
en faut à la queue, c'est pas vrai ?

Quand on est à la queue d' l'école,
c'pas un' place au gouvernement !
Saint' Mère ! on en r'çoit des torgnoles
ben plus qu'on r'çoit des compliments.

Ah ! les bêtis's que j'ai mangées !
Ah ! les coups d' pied qu' j'ai r'çus dans l'dos !
Ah ! les filets d' vache enragée
qu' j'ai avalés sans dire un mot !

J'suis malchanceux ; c'est pas d'ma faute
si j'frapp' pas les bons numéros.
Tandis que l'succès va aux autres,
moi, j'attrap' toujours les zéros.

Ah ! croyez-moi, j'ai pas d'envie
contr' ceux qui sont rich's avérés,
mêm' si j'travaill' rai tout' ma vie
sans gagner d'quoi m'faire enterrer.

Ça, ça fait rien. Tout's mes souffrances,
j' les accept' toujours comm' mon lot,
vu que j'perds jamais l'espérance
que j' serai récompensé en Haut.

La misèr', ça dur' l'existence,
mais l'ciel dur'ra l'éternité.
J'suis tell'ment sûr d' ma récompense,
si j' viens à bout d' la mériter.

J'vous d'mand' ni succès ni richesse,
pourvu qu' ma vieille ait le confort,
puis qu'on vive ensembl' notr' vieillesse
et qu'on se r'trouve après notr' mort.

Ma vieille, ell', son affaire est claire ;
son ciel est gagné, c't' entendu.
Moi, j'sais qu' j'ai ben du ch'min à faire ;
trompez-vous pas ! j'suis pas rendu !

Pour moi, y'aurait pas d'ciel sans elle.
— Excusez si j'ai mal parlé ! —
Y'a rien qu'ell' qui m'rend la vie belle :
mon bonheur, c'est là où elle est.

Mes pauvres vers, c'est des rimettes ;
Ah ! non, c'est pas rich' comm' cadeau !
J'ai beau suer à m' mettre en lavette,
j'sais pas l'tour d'en fair' des plus beaux.

Acceptez-les, ô Notre-Dame !
Acceptez-les avec mon coeur.
Ayez encor pitié d' mon âme,
c'est tout c' que j'demand' comm' faveur.

J'os' pas espérer qu'en fin d' compte,
vous essuierez mon front en sueurs
avec votr' châl' bleu, comm' dans l'conte
du pauvre diabl' qu' était jongleur !

☆ ★ ☆

HOMMAGE DES GUEUX
À LA FRANCE

Nous autr's, les gueux qu'ont pas eu d'chance
Et qui viv'nt comment, l'bon Yeu l'sait,
On peut pas fair' des conférences
Ni des discours à tout casser
Comm' les messieurs qu'ont d'l'importance
Et qui sav'nt comment bavasser.
Mais quand on entend : «'Viv' la France !»
Nos coeurs de gueux sont boul'versés.

Nous autr's, on a pas d'éloquence
Pour tourner des vers ben troussés ;
Paraît qu'on exprim' mal c'qu'on pense
Et qu'notr' langag' peut offenser.
Mais ça, ça fait pas d'différence
Pourvu qu'on ait l'coeur ben placé.
Et quand on entend : « Viv' la France !»
Nos coeurs de gueux sont boul'versés.

D'puis qu'on a l'âg' de connaissance,
Depuis l'temps qu'nos mèr's nous berçaient
On gard' l'amour et la souv'nance
De nos vieux qu'étaient des Français
Et des gars d'courage et d'vaillance.
C'est pas nous autr's qu'oublient l'passé !

Et quand on entend : « Viv' la France »
Nos coeurs de gueux sont boul'versés.

Dans nos gaietés, dans nos souffrances,
Dans nos chansons, on rest' Français.
Et quand on prie l'Dieu d'nos croyances,
C'est p't-être en mots mal prononcés ;
C'est en vieux mots qui vienn'nt de France
Et qu'les aïeux nous ont laissés.
Et quand on entend : « Viv' la France »
Nos coeurs de gueux sont boul'versés.

☆ ★ ☆

PRIÈRE
À SAINT-ANTOINE

Excusez-moi, bon saint Antoine,
Si j'vous arriv' de but en blanc ;
Faut que j'vous dis' que j'suis t'en peine,
Ça m'consol'ra en en parlant.

Vu que y'a rien qu'la p'tit' lumière
Du sanctuair' qu'éclair' dans l'choeur,
J'peux pas vous fair' des grand's prières ;
J'vous parl'rai comm' ça, coeur à coeur.

Pensez donc qu'me v'là pus d'ouvrage !
J'm'en cherch', mais j'peux pas frapper coup.
Quand c'est qu'i' va finir, l'chômage
Qu'les journaux 'n'en parl'nt à tord-cou ?

Tandis c'temps-là, chez nous on crève,
On a pus rien à s'mettr' dans l'bec.
J'vous assur' qu'la vie c'pas un rêve
Quand on est sous l'Secours direct !

...Priez l'bon Dieu qu'i' m'donne un' chance,
Vous qu'êt's dans la manch' d'notr' Seigneur.
Je l'mérit' pas, j'sais, Bondance !
J'sais qu'j'suis ben prompt pis ben sacreur.

Quand j'prie pour d'mander des affaires,
Ça m'gên' pis ça m'en bouche un coin
D'penser qu'j'fais ben mieux mes prières
Quand j'suis pris d'court, pis dans l'besoin.

Fait's ça pour ma vieille, ell' c't'un' sainte ;
C'est bon comm' la vie, c'est ben court.
C'est travaillant à toute éreinte,
C'est toujours gaie, jamais de r'bours.

R'gardez mon p'tit gars, ma p'tit' fille,
C't'un' pitié d'voir qu'y'ont pas c'qui faut ;
Y'mang'nt pas, y sont en guénilles...
Ah ! saint Antoin', c'est pas rougeaud !

J'vous d'mand' pas pour m'enrichir vite ;
J'veux pas voler, c'pas des façons ;
J' l'sais, c'est pas ça qui profite :
L'argent du yâbl', ça r'tourne en son.

Fait's-moi, r'trouver, — J' pas égoïste, —
Rien qu' ma pauvr' p'tit' plac' d'ouvrier.
J'vous d'mand' pas un' plac' de ministre ;
Non ! j'veux un' plac' pour travailler.

Si je l'ai, — craignez pas la glace ! —
Ça va êtr' fête à la maison !
Y'a si longtemps qu'ma vieill' s'tracasse
Qu'elle en dort pus comm' de raison.

J'vous promets qu'on f'ra un' neuvaine,
— Un' tanant', j'vous réponds d'ça ! —
Vous êt's ben sûr, bon saint Antoine,
D'pas avoir affaire à d'z'ingrats.

...J'vous dis ça dans l'tuyau d'l'oreille :
Mon p'tit gars, c'est un bon chréquien ;
J'prierai l'bon Yeu avec ma vieille
Pour qu'lui 'ssi fasse un franciscain.

☆ ★ ☆

LES BALS DE CHARITÉ

A c't'heur' qu'on est dans l'mois d'décembre,
c'est l'temps des Bals de Charité ;
Les gens d'la haut' s'trémouss'nt les jambes
pour soulager notr' pauvreté.

Dans tous les hôtels fasionables
Y vont danser pendant queuqu's soirs
pour l'plus grand bien des misérables
qui batt'nt d'la smell' su' les trottoirs.

Grand Euchre et Bal pour les pauvres !
Des p'tit's jeuness's s'laiss'nt tripoter
par des vieux matous gris tout chauves :
N'import' ! c'est pour la Charité !

Des dam's assez vieill's pour êtr' sages
laiss'nt pour tant voir c'qu'ell's ont su' l'coeur
en entrebâillant leur corsage
d'vant des étudiants pleins d'candeur.

Des p'tit messieurs en queue-d'morue,
l'cou étranglé dans leu collet,
dans'nt joue à joue avec des grues :
c'pour la Charité, s'i' vous plaît !

Y'a pas à dir', ça m'émotionne
de voir c'bon mond' si généreux
qui dépens' pis qui s'époumone
rien qu'par amour des pauvres gueux.

C'qu'on leur en doit d'la r'connaissance
d'risquer d'avoir d'z'indigestions
à danser pis s'bourrer la panse
D'Laura Secord et d'bonn' boisson.

C'est pour l'amour d'notr' populace
qu'les dam's s'sont mis's sur leur trent'six...
Dir' que chaqu' rob' coûte assez d'piasses
pour qu'j'hivern' ma famille ! Torviss !

☆ ★ ☆

PAS D'INSTRUCTION

Non, moé j'sus pas un communisse,
j'sus pas non plus pour les Ugnons.
J'veux pas d'mal aux capitalisses
et j'braill' pas contre les patrons.

J m'dis, des fois, qu' c'est ben d'ma faute
si j'ai pas un' bell' position.
J's'rais p't-êtr' ben aussi rich' qu'eux autres,
si seul'ment j'avais d' l'instruction.

Quand j'étais p'tit, j'aimais pas les livres ;
j'été à l'écol' rien qu' six mois.
D'pus c'temps-là, j'en arrache à vivre
autant qu'un' puc' su' un chien d'bois.

☆ ★ ☆

DIMANCHE APRÈS-MIDI
AU CIMETIÈRE

Me v'là rendu au cimetière,
C'est un' drôl' de plac' pour s'prom'ner,
Mais moi, j'vais pas « dans l'ouest ma chère » :
J'ai pas d'nipp's neuv's à pavaner.

Tout l'monde ici dort dans l'silence ;
I's'occup'nt plus des troubl's qu'on a ;
C'qu'arriv' leur fait pas d'différence,
C'est ben simpl', c'est comme au Sénat.

Mais l'cimetièr', c'est comme un' ville,
Ç'a ses quartiers des pauvres gens
Puis ses quartiers d'« famill's tranquilles »
Ousque pourriss'nt ceux qu'ont d'l'argent.

Faut qu'les gueux puis les personnages
Soient enterrés chacun d'leu bord.
Ça s'voit comm' le nez dans l'visage
Qu'c'est l'égalité d'vant la mort.

C'est-i rien qu'par hypocrisie
Qu'on fait bâtir des monuments ?
C'est-i vrai qu'tout' la poésie
Qu'est su' les épitaph's ça ment ?

Ou ben, c'est ici, faudrait croire,
Que tout l'bon monde est venu rester !
Lisez les « A LA DOUC' MEMOIRE »,
Les « MER'CHERIE, » l'z' « EPOUX
                                       R'GRETTE »...

Faut dir' que dans ben des ménages,
Ça s'bat tout l'temps comm' chien et chat,
Mais quand y'en meurt un, quel brâillage !
L'autr' chiall', c'est pas drôl' de voir ça !

Le défunt ou ben la définte,
Ça d'vient un ang' pour l'survivant,
Un' perfection, un saint, un' sainte...
Comme on en r'gagne, hein ? en mourant ! ...

Devant les beaux monuments d'pierre
Avec des ang's qui pleur'nt aux coins
J'vois pas grand mond' fair' des prières...
...Ces morts-là, ç'en a pas d'besoin ? ...

Dans c'bout ici, y'a trop d'fortunes,
— C'est curieux, j'me sens pas chez nous, —
J'aim' mieux descendre aux foss's communes
Ousqu'y'a du mond' qui prie à g'noux.

Tout's ces croix su' l'côteau qui penche !
A pert' de vue, su' tous les bords !
C'est tout blanc, c'est comme une g'lée blanche
Qu'a passé su' l'Jardin d'la Mort !

Justement, j'vois un' pauvre femme
A g'noux d'vant un' p'tit' foss' d'enfant.
C'est plus fort que moi, ça m'désâme
De l'entendr' pleurer en r'nifflant.

Pauvr' mèr', ell' pleur' son beau p'tit ange
R'monté au ciel sans berlander.
Moi, j'trouv' pas qu'y a perdu au change :
Y'est mieux qu'su' terr', c'pas à d'mander.

Y'a pas d'mandé pour v'nir au monde,
Y'a pas plus d'mandé pour partir.
Faut pas pleurer ; c'pauvr' p'tit' têt' blonde
Aura pas su c'que c'est qu' pâtir...

...Moi aussi, faudra qu'ça m'arrive
D'v'nir pourrir ici, un' bonn' fois,
Dans un' tomb' d'la Copérative,
En d'ssous d'deux latt's clouées en croix.

Pensez donc ! j's'rai propriétaire !
Oui, mes vieux, j'paierai plus d'loyer.
J'aurai un bon lot d'six pieds d'terre ;
J'aurai plus besoin d'travailler...

J'aurai six pieds d'terr' puis quatr' planches...
On dit « quatr' planch's », pourquoi pas six ?
Pour qu'un cercueil, ça soit étanche,
Faut des planch's aux deux bouts, Torvis !

J's'rai tout en noir des pieds à tête,
La fac' rasée, la bouche en coeur,
Endimanché comme un poète
Qui soupe au banquet des Auteurs.

...Mon nom s'ra avec mon adresse
Dans les décès pendant trois soirs.
Dir' qu'i parl'ront d'moi su' LA PRESSE
Et que j's'rai pas là pour le voir !

J'aurai fini de m'fair' d'la bile...
J'aurai ma « terr' », ça c'est certain.
Dir' que j'pourrai dormir tranquille
Sans guetter mon réveil-matin !...

...La peur de mourir, c't'un' folie !
J'vois pas pourquoi qu'on craint la mort ;
Ell' peut t'jours pas êtr' pir' qu'la vie ;
Moi, j'me dis ça quand ej' m'endors.

Un' fois mort, j's'rai heureux, j'espère.
Ça s'rait ben l'temps, à la fin d'tout !
L'bon Yeu qui connaît ma misère
M'trouv'ra ben dans l'ciel un bon trou !

SOULOGRAPHIE

A c't'heur', faudrait êtr' millionnaires
Pour prendre un' bross' dans les trois X.
Le Merchers s'vend pus au grand verre
Pour cinq cenn's ni l'whiskey pour dix.

C'est pas avec nos p'tits salaires
Qu'on peut s'ach'ter d'la « Commission ».
Ç'a toujours ben ça d'salutaire :
L'z'ouvriers meur'nt pus d'boissomption.

Dans l'temps des bars à chaqu' coin d'rues
Puis des licenc's entre les bars,
J'vous dis qu'notr' paye, ell' passait drue !
Ell' coulait toute en cinq demiards.

Ah! l'jour d'la pay' pour nos pauvr's femmes
C'était ben l'jour du désespoir !
Tout' la journée, ell's s'rongeaient l'âme.
D'penser qu'on rentrerait saoul l'soir.

Y'étaient jamais désappointées !
On rentrait saoul en chambranlant,
Les yeux roug's, la langue empâtée,
Pleins d'sacr's qu'on lâchait en râlant.

Travailler pour s'ach'ter d'quoi boire,
Puis boir' pour pouvoir travailler,
C'était toujours la même histoire,
C'était tout' notr' vie d'ouvriers.

On rentrait, puis c'était la guerre.
L'argent du groceur, du loyer,
Tout ça ç'avait passé en verres ;
On avait plus rien pour payer !

Et tout en buvant notr' salaire,
On buvait la joie, le bonheur,
L'pain, l'av'nir d'nos p'tits et d'leur mère ;
On buvait jusqu'à notre honneur.

Aux Pâqu's, on faisait pénitence,
On promettait d'pus boire, à g'noux,
Au pied d'la grand' croix d'Tempérance, ..
Et puis, l'mêm' soir, on rentrait saoul ! ...

☆ ★ ☆

JASETTE À
SAINT FRANÇOIS D'ASSISE

C'est moi, bon saint François d'Assise,
M'sembl' qu'on peut s'comprendr' tous les deux.
T'étais pauvr' puis poèt', à c'qu'ils disent :
Tu vois, moi, j'rim' puis j'suis quêteux.

C'est pourtant vrai, t'étais poète !
Pauvr' mais l'coeur toujours su' la main ;
T'aimais les oiseaux puis les bêtes...
Qui sont moins bêt's que l'genre humain.

D'ton temps, tu « cultivais les Muses »,
Comm' dis'nt les d'moisell's de salon.
A c't'heur' faut cultiver les... buses ;
Sans ça, on crêv', puis c'est pas long.

Moi aussi, j'vis pas mal de même,
D'Idéal, de tout l'pataclan ;
Seul'ment, tous les jours j'suis plus blême
Puis je r'sserr' ma ceintur' d'un cran.

J'fais des vers, mais j'suis pas poète,
Quand mêm' que j'march', les yeux perdus,
Les ch'veux peignés à la fourchette,
Trist' comme un candidat battu.

L'hiver, quand j'gèl' su' ma paillasse,
L'inspiration s'en va r'voler.
J'me chauffe au feu d'l'enthousiasse,
Ça fait qu'mes vers ont les pieds g'lés.

C'est pas ça qui m'bourra la panse
D'écrir' des livr's, de fair' des vers.
Ç'a beau m'nourrir l'intelligence,
J'suis maigr' qu'on m'voit l'jour à travers.

Les gens sag's dis'nt qu'c'est pas pratique
Puis pas ben ben enrichissant.
Ça pay' pas comm' la politique,
Je l'sais, mais c'est moins salissant.

J'suis pas d'ceux qui tap'nt su' la panse
Des grands pour avoir des cadeaux ;
J'aim' ben mieux mon indépendance
Puis l'plaisir d'leu tomber su' l'dos.

Si j'étais ministre ou ben maire ! !
Ça, au moins, ça prend pas d'talent.
Mais, j'ai pas la boss' des affaires,
Ça fait que j'vis en tirâillant.

Le nez collé su' les vitrines
Des restaurants tout pleins d'becs fins,
L'estomac creux, l'eau aux babines,
J'en r'gard' manger qu'ont jamais faim.

Y'a ben des journées que j'me couche
En plein vent dans l'Carré Viger,
Des fils d'araignée plein la bouche
A forc' d'avoir rien à manger.

Puis quand j'rentr' chez nous dans ma ruelle,
Le soir, j'grimpign' mon escalier
Aux march's creusées comm' des écuelles...
J'suis à bout, j'ai envie d'brâiller,

d'brâiller d'dégoût, faut ben m'comprendre !...
Malgré tout, j'ai l'coeur plein d'espoir.
D'l'espoir ? D'l'espoir, j'en ai à r'vendre !
J'en aurai jusqu'au dernier soir...

La vie, c'est pas toujours ben rose ;
Mais quand j'trouv' que c'est trop forçant,
J'rimaill' des vers, j'barbouill' d'la prose ;
C'est mieux que d'fair' du mauvais sang...

Qu'on soit quéteux, qu'on soit poète,
Y'a du bonheur, — j't'en donn' mon r'çu, —
A manger du pain qu'est honnête... ,
Quand mêm' qu'on s'ébrèch' les dents d'ssus.

Toi qu'as su rimer des cantiques,
Bon saint François, te v'là aux cieux.
Pense aux quéteux, c'est tes pratiques,
Pense aux poèt's, c'est des quéteux !

ALLONS VOTER
(inédit)

Y'a des pays dans l'esclavage
où c'est qu'on peut pas rouspéter.
Par ici, on a l'avantage
de dir' c'qu'on veut et puis d'voter.

Puisqu'on a l'droit de dir' c'qu'on pense
sans s'faire emberlificoter,
j' me d'mand', les gars, pourquoi, Bondance !
qu'on a pas l'coeur d'en profiter.

S'agit pas d'fair' rien qu' des critiques
contr' les chefs puis les députés
dans les tavern's et les boutiques ;
jasons moins, puis allons voter.

C'pas à boir' du Scotch à la glace
qu'nos députés f'raient leur devoir
si on leur faisait la m'nace
d'tous les décoller du pouvoir.

Occupons-nous donc d' nos affaires !
Aux élections, mes vieux, c'est l' temps.
Si l'gouvernement sait rien faire,
flanquons-le dehors en votant.

Seul'ment, mes vieux, soyons sincères.
Vendons-nous pas pour des faveurs,
pour un contrat, un' place ou des prières.
Votons pas pour un tas d'farceurs.

Ça fait pas un' gross' différence
qu'on soit bleu, rouge ou carreauté ;
la chos' qu'a d' la vraie importance,
c'est d'élir' des bons députés.

Puisqu'on vit pas en plein' Russie,
— l'Paradis terrestre à Tim Buck —,
conservons notr' démocratie,
les gars ! Allons voter en bloc !

☆ ★ ☆

ORAISON FUNÈBRE
DE MON CHIEN

Non ! t'étais pas un chien d'salon,
un d'ces chiens-chiens pour demoiselles,
qu'ont des prix aux expositions
pis qui couch'nt dans des lits d'dentelles...

Quand j't'ai trouvé tout estropié,
j'ai compris qu'dans ta vie d'misère,
t'avais mangé ben plus d'coups d'pieds
que d'viand'... Pour ça, on était frères.

Tu me r'gardais d'un air si doux
quand tu mettais ta pauvr' têt' ronde
pis tes gross's patt's su' mes genoux,
qu'on aurait dit qu't'étais du monde

Tu comprenais ben sûr, pauvr' vieux,
tout's mes rancoeurs, tout's mes détresses.
Rien qu'à me r'garder l'blanc des yeux,
tu devinais tout's mes tristesses.

Tu m'guettais comme un collecteur,
comme un' police, un' sentinelle.
C'est pour ça que j't'app'lais Malheur ;
tu m'lâchais jamais d'un' semelle.

Et pis, j'me souviens d'l'enterr'ment
qu'j'ai m'né ma vieille au cimetière ;
l'corbillard montait tristement
avec rien qu'toé pis moé derrière !

☆ ★ ☆

LE JEU DE GOLF

Paraît qu'les homm's d'affair's d'la Haute
Quand i' sont tannés de s'mentir
Pis d'tripoter l'argent des autres
Vont jouer au golf pour s'divertir.

L'golf, c'est l'jeu d'l'aristocratie,
Des commis d'bar, des députés ;
C'est l'pass'-temps d'la diplomatie
Quand i' se r'posent de s'disputer.

Ça s'joue avec des cann's, des boules,
Des sacr's et pis d'la bonn' boisson,
Quand la boul' march', pis qu'le « scotch » coule,
Y sont heureux, comm' de raison.

Y fess'nt la boule à grands coups d'canne
Tant qu'a tomb' pas au fond d'un trou.
Quand ça va mal ben i's'chicanent,
Quand ça va ben, i'prenn'nt un « coup ».

C'est drôl' p'têt' ben, mais j'trouv' qu'ça
                         [r'ressemble
Au jeu qu'i' jouent à tous les jours ;
Pour blaguer l'monde, i' s'mett'nt ensemble.
Pis i' fess'nt dessus chacun leur tour.

Les pauverr' yâb's, on est les boules
Que ces messieurs fess'nt à grands coups
Y sont contents quand i' nous roulent
Pi' qu'i' nous voient tomber dans l'trou.

☆ ★ ☆

PENDANT LA MESSE
DE MINUIT

J'sus dans l'jubé, contre une colonne,
dans c'p'tit racoin-là y m'voient pas,
mais j'me trouv' ben. J'nuis à personne
pis je r'gard' le mond' qu'est en bas.

J'essay' ben d'faire un bout d'prière
tandis qu'la grand'mess' fil' son train,
mais j'vous assur' qu'j'ai d'la misère,
j'sus distrait pas rien qu'un p'tit brin.

Quiens ! me sembl' que l'p'tit Jésus d'cire
est en vie, qu'i'vient d'me r'garder !
J'aurais ben des chos's à y dire,
ben des affair's à y d'mander...

« Si par hasard, fallait qu'tu r'viennes
en vie icit', pauvr' p'tit Jésus,
dans notr' société si chrétienne
j'sais pas trop si tu s'rais ben r'çu.

Notr' monde est pas ben charitable ;
y t'log'rait pas dans les hôtels,
y t'laiss'rait coucher à l'étable
comm' la nuit du premier Noël.

C'pas pour le pauvre monde honnête
qu'a l'air quêteux, qui paraît mal
qu'les gérants d'hôtels s'cass'nt la tête
au Windsor pis au Mont-Royal.

C'pas les gens rich's de par icite
qui te r'cevraient eux-autr's non plus.
Ces gens-là, quand ç'a d'la visite,
c'est du mond' chic qu'a des r'venus.

Pourtant, ceux d'l'aristocratie,
d'vraient êtr' meilleurs pis êtr' plus pieux
qu' tout l'mond' d'la quêteucratie,
que tous nous-autr's, les pauvres gueux.

C't'eux-autr's qui sont l'z'heureux d'la terre,
C't'eux-autres qui manqu'nt jamais de rien.
Nous-autr's, on vit dans la misère,
on est tous nés pour un p'tit pain.

Pourtant qui c'qui va à la messe
tous les dimanch's à tous les temps ?
c'est-i' les gens qu'ont d'la richesse
ou ben nous-autr's qu'en arrach'nt tant ?

Qui c'est qui croit pus aux prêtres
quand i's'est fait un peu d'argent,
qui c'est qu'est fra'-maçon, qu'est traître,
c'est-i' nous-autr's, les pauvres gens ?

Y' aura des couronn's su' sa bière,
tout c'beau mond'là, quand i' mourra ;
un enterr'ment d'l'Ugnon d'prières,
nous-autr's, c'est ben l'plus qu'on aura...

J'pense à ça, à soir, pis j'y r'pense...
P'tit Jésus, j'sais ben qu't'as pas tort
vu qu'on aura notr' récompense
un' fois qu'on s'ra rendu d'l'autr' bord...

Dans tous les cas, si, par merveille,
Tu viens qu'à r'venir un bon soir,
viens t'en chez nous ! Moé pis ma vieille,
on s'rait si content d'te r'cevoir. »

☆ ★ ☆

NOS P'TIT'S MÈRES
(inédit)

Quand j'pense à la mèr' de famille
Qu'a un lot d'enfants sur les bras,
Qui lav' des couch's et des guenilles,
J'trouv' qu'ell' mèn' un' vie d'parias.

Pendant qu'son homme est à l'ouvrage,
La p'tit' mèr' trime à la maison.
C'est pas pour ell' les grands voyages ;
C'pas pour ell' les manteaux d'vison.

Quand les chefs d'l'Union font la grève,
— A part de ça, ils fich'nt rien —
Pour la p'tit' mèr', c'est pas un rêve !
C'est à ell' que tout l'troubl' revient.

Qui c'est qui fait durer les piasses
pour nourrir puis vêtir ses gens ?
Qui c'est qui s'arrang' pour qu'ça fasse
vu que l'mari gagn' pus d'argent ?

Qui c'est qui calcul', qui ménage
pour v'nir à bout de tout payer,
pour pas qu'son mari s'décourage
d'êtr' toujours pauvr' puis d'travailler ?

Quand y'en a un qui tomb' malade,
qu'ça soit l'bébé ou ben l'mari,
qui c'est qui s' met en marmelade
jusqu'à temps qu'ell' le voie guéri ?

C'est la p'tit' mèr', c'est toujours elle ! ...
Elle, elle a rien à s'mettr' su' l'dos,
mais ses p'tit's fill's port'nt d'la dentelle
puis ses p'tits gars ont l'air faraud.

L'pèr' a sa s'main' de quarante heures,
ses vacanc's puis son temps et demi.
Mais la p'tit' mèr', avant qu'ell' meure,
ell' se r'pos' pas, c'est pas permis.

Elle, ell' pens' pas à s'mettre en grève
pour qu'son salair' soit augmenté ;
ell' gagn' rien! ... Puis, quand ell' crève,
c'est sa premièr' chanc' d'arrêter.

Pensons-y donc à notr' p'tit' mère !
(J'dis ça pour moi autant qu'pour vous),
A moins d'êtr' sans coeur, pré misère !
faut l'adorer à deux genoux !

SI J'RENCONTRAIS
DIOGÈNE

Quand on lit l'supplément d'la Presse,
On trouve un tas d'histoir's là-d'dans.
C'est plein d'affair's de tout's espèces ;
C't'un' vraie fricassée d'restaurant.

L'autr' jour, ça parlait d'Diogène ;
C'était un gars original
Qui s'prom'nait dans les rues d'Athènes,
En plein jour, avec un fanal.

I' cherchait un homm', à c'qui disent,
Un homm' correct su' tous les points.
Un homm' de mêm', — j'gag'rais ma ch'mise, —
Ça s'rencontr' pas à tous les coins.

J'sais ben qu'si i' v'nait par icite,
Dans nos grand's bâtiss's à bureaux,
Y'en arrach'rait ben en bibite
Pour trouver un homm' sans défaut.

J'y dirais ben droit' c'que j'en pense
Si j'le rencontrais dans l'quartier
D'la Bourse et de la haut' finance,
Parmi les agents, les courtiers :

« Ecout', mon vieux, j'crois qu' tu gaspilles
Ta mêch' pis ton huil' de charbon ;
Parmi tout c'mond'-là qui fortille,
Tu trouv'ras pas grand' chos' de bon.

« J'vas t'dir', mon vieux, sans t'fair' de peine,
Te v'là dans l'pir' coin d'Montréal.
Sauv'-toé d'icit' ! pauvr' Diogène,
Tu vas t'fair' voler ton fanal ! »

☆ ★ ☆

SOIR D'ÉTÉ

L'soleil s'couche au bout d'la rue Wolfe
En ayant l'air de j'ter un oeil
Sur la terre ousque tant d'mond' souffre ;
C'est ben lui qui s'fich' de nos deuils.

Comme tous les autr's soirs, j'me promène
Sans trop r'garder, sans trop savoir.
J'fil' mon ch'min comme une âme en peine,
Droit devant moé l'long du trottoir.

J'long' les rues ousque sont tassées
tout's nos mâsur's de pauvres gens,
notr' rue qui pue la fricassée,
le ling' sale et pis l'manqu' d'argent.

C'est l'quartier des quêteux d'naissance
Qui sont v'nus au mond' tout ratés,
Des gâs comm' moé qu'ont pas eu d'chance
Et pis qu'la vie a pas gâtés.

Dans les fonds d'cour, à gauche, à droite,
Je r'marqu' les famill's d'ouvriers
Qu'étouff'nt dans leurs maisons étroites,
Assis dehors en train d'veiller.

La femme à moitié débraillée,
Rien qu'en jaquett' sous son jupon,
Les ch'veux en fond d'chais' dépaillée,
Est à cul plat su' son perron.

Elle a pas l'coeur d's'mettre en toilette.
D'abord, elle a l'p'tit à nourrir ;
Pis un' journée su' la cuvette
Ça vous ôt' ben l'goût d's'embellir.

Ell', c'est ça sa villégiature :
S'assir dans l'air mort du soir d'août
D'vant les hangars pis les clôtures,
Tout en r'gardant s'battr' les matous.

Son mari, les culott's pendantes,
S'est mis nu-pieds et pis en corps.
Y fum' sa pipe à la brunante.
Y'a pas à dir', c'est beau l'confort !

Tandis c'temps-là, au coin d'la rue,
Les enfants jouent, sal's pis morveux.
Tout' c'te marmâill'-là qui pouss' drue,
C'est encor' d'la grain' de quêteux...

...La gueul' serrée, l'homm' pis la femme
R'gard'nt, sans rien dir', dormir le p'tit.
D'quoi qu'i' parl'raient ? Chacun s'renferme
Dans l'silenc' d'un rêve abruti.

S'parler d'amour ? S'fair' des tendresses ?
Y'a ben longtemps qu'ça leur dit plus.
Tous les espoirs de leur jeunesse,
Ça fait un' mêch' qu'i' sont foutus.

Lui, pens' que d'main faudra d'l'ouvrage
Pour payer l'groceur pis l'loyer.
Y pens' qu'à mesur' qu'i' prend d'l'âge
Ça d'vient plus dur de travailler.

...Elle, a s'voit encore en famille,
Dans la misère à pus finir ;
Ell' pense au lavage, aux guenilles,
Pis ell' s'demand' c'qu'i' vont d'venir.

Y s'aim'nt toujours, mais sans se l'dire ;
Y' s'ront comm' ça jusqu'à leur mort,
Comme un' pair' de vieux ch'vaux qui tire
Toujours att'lée dans l'mêm' brancard.

Et sur c'tableau plein d'vie réelle
Du bonheur simpl' du travailleur,
Entre les cord's à ling' d'la ruelle,
La lun' qui s'lèv', jett' sa lueur.

LES REGRETS

Je l'sais ben, on aim' ça, la ville,
Quand on est jeun' puis plein d'entrain.
C'est si gai quand la foul' défile
A travers l'brouhaha puis l'train.

C'est si gai d'passer dans nos rues,
Quand mêm' que, nous autr's, on a rien,
Puis d'voir tous les gens en band's drues
Qui s'bouscul'nt dans les magasins.

C'est si gai d'voir tout's les lumières
Qui brill'nt jusqu'au-d'ssus des maisons,
Tell'ment gai qu'les gars d'la misère
S'laiss'nt ébahir, comm' de raison !

Quand mêm' qu'on a rien dans nos poches,
On voit tell'ment d'richess' partout
Que, si on y r'gard' pas d'trop proche,
On s'imagin' d'êtr' rich' étou.

Tout en s'prom'nant sur la Cath'rine,
On r'luque avec des yeux tout grands
Les bell's affair's dans les vitrines :
On l'z'a à nous autr's un moment.

Et puis, quand on a notr' jeunesse,
Me sembl' que tout nous appartient...
Oui ! êtr' jeun', c'est toute un' richesse ;
Nous autr's, mes vieux, on l'sait trop bien !

Mais vient toujours un temps qu'la ville
Avec ses joies puis son train-train,
Ça nous fatigue... et on s'défile !
On rêv' d'un' plac' ousqu'y'a moins d'train.

On rêvass' du pauvr' p'tit village
Qui dort à l'ombre des sapins,
D'la vieille églis' de notr' jeune âge,
Qui pique en l'air son clocher fin.

On rêvass' d'la p'tit' maison blanche
Aux murs grisâtr's et poussérieux,
Avec son toit d'bardeaux qui penche,
La p'tit' maison d'nos jours heureux.

On rêvass' d'la vieill' cheminée
Contr' le grand fauteuil ousque, l'soir,
A moitié mort de notr' journée,
On s'trouv'rait si chanceux d's'asseoir.

On rêvass' de tout's les tendresses
des êtres chers qui y sont plus ;
On rêvass' de tout' notr' jeunesse
puis des bonheurs qu'on a perdus.

Et, à travers de tout l'tapage
d'la vill' avec tous ses plaisirs,
On rêvass' de notr' p'tit village
D'ousqu'on aurait pas dû partir.

☆ ★ ☆

LA MONTRE-BRACELET

(inédit)

Tout à l'heur', j'ai eu un' vraie frousse
en r'gardant un' p'tit' montr'-brac'let
pas plus grand' que l'ongl' de mon pouce.
Vous m'croirez pas, mais ell' m' parlait.

Ell' m'disait: « L' p'tit r'ssort qui s'démène
dans mon boîtier gros comme rien
mesur' les bonheurs et les peines
des rich's, des pauvr's et des vauriens. »

« Mon p'tit tic-tac grug', miett' par miette,
la vie des pap's comm' cell' des rois,
cell' des savants, cell's des vedettes
et cell' des pauvres gueux comm' toi. »

« T'as beau vouloir que ta joie dure
Mais qu' tes malheurs pass'nt à grands pas,
Tu vois qu' ça chang' pas mon allure.
Pleur', ris, chant', chiâl', ça m'dérange pas. »

« Ça t'donn' pas l'frisson quand tu penses
Que mes aiguill's fin's comm' un ch'veu
Marqu'nt chaqu' minut' que tu dépenses,
Puis qu' chaqu' minut', tu meurs un peu ? »...

« Hein ? mon p'tit vieux, v'là qu'ça t'épeure !
Te v'là qui pense en transpirant
Qu'un' fois, ça s'ra ta dernière heure
Qui s'ra marquée sur mon cadran. »

« La vie, c'est rien qu' quelqu's tours d'aiguilles.
D'mand'-toi donc s'il t'en rest' beaucoup
avant l'moment qu' tu décanilles
pour aller prendr' ton dernier trou ! »

LES TEMPS DES FÊTES

V'la l'temps des Fêt's pis des étrennes.
Les magasins, les grands journaux
Annonc'nt Santa Claus d'puis trois s'maines :
C'est l'p'tit Jésus des temps nouveaux.

...Dir' que Santa Claus te remplace,
Ah! pauvre Jésus d'mon jeun' temps !
C'est-i' vrai qu' t'as perdu ta place
Dans la croyanc' des p'tits enfants ! ...

Tandis que tout l'mond' se garroche
Aux magasins, j'passe en r'gardant,
Tout seul, les deux mains dans mes poches...
J'ai pas d'autr' chose à mettr' dedans.

L'argent, on pogn' pas ça au piège,
Faut travailler pour en avoir ;
Ça l'fait exprès, on n'a pas d'neige
A ramasser su' les trottoirs.

J'aim'rais ça fair' des bell's étrennes
A ma vieille et aux p'tits enfants ;
J'leu donn' c'que j'peux... Ça m'fait d'la peine
Vu qu' j'ai ben l'coeur, mais pas l'argent...

Des p'tits quêteux r'gard'nt les vitrines
Plein's de nénane et d'beaux joujoux ;
Le coeur leu bat dans la poitrine,
Y'en voudraient ben eux-autr's étou.

En r'gardant ça, i' s'font d'la bile
A s'expliquer c'qui z'aim'raient l'mieux.
Pourtant, i'sav'nt qu' c'est inutile,
Santa Claus ira pas chez eux.

...Eh oui ! c'est d'mêm' tout l'long d'la vie !
Qu'on soit p'tit ou ben qu'on soit grand,
On est plein d'rêve et plein d'envies,
Pis, on s'fait plus d'mal en rêvant !

LES DEUX ORPHELINES

J'été voir « Les deux Orphelines »
au Théâtr' S.-Denis, l'autre soir.
Tout l'mond' pleurait. Bonté divine !
C'qui s'en est mouillé des mouchoirs !

Dans les log's, y'avait un' gross' dame
qu'avait l'air d'être au désespoir.
Ell' sanglotait, c'te pauvre femme,
Ell' pleurait comme un arrosoir.

J'me disais : « Faut qu'ell' soit ben tendre,
pis qu'elle ait d'la pitié plein l'coeur
pour brailler comm' ça, à entendre
un' pièc' qu'est jouée par des acteurs. »

« Ça doit être un' femm' charitable
qui cherch' toujours à soulager
les pauvres yâb's, les misérables
qu'ont frett' pis qu'ont pas d'quoi manger. »

J'pensais à ça après la pièce
en sortant d'la sall' pour partir.
Pis, j'me suis dit: « Tiens, faut que j'reste
à la port' pour la voir sortir ».

Dehors, y'avait deux p'tit's filles
en p'tit's rob's minc's comm' du papier.
Leurs bas étaient tout en guenilles ;
y'avaient mêm' pas d'claqu's dans les pieds.

Ell's grelottaient, ces pauvr's p'tit's chouettes !
Ell's nous d'mandaient la charité
En montrant leurs p'tit's mains violettes.
Ah ! c'était ben d'la vraie pauvreté !

Chacun leu z'a donné quelqu's cennes.
C'est pas eux-autr's, les pauvr's enfants,
qu'auront les bras chargés d'étrennes
à Noël pis au Jour de l'An.

V'l'à-t'i' pas qu'la gross' dam' s'amène,
les yeux encore en pâmoison
d'avoir pleuré comme un' Madeleine ;
Les p'tit's y d'mand'nt comm' de raison :

« La charité, s'ous plaît, madame » !
d'un' voix qui faisait mal au coeur.
Au lieu d'leu donner, la gross' femme
leur répond du haut d' sa grandeur :

« Allez-vous-en, mes p'tit's voleuses !
Vous avez pas hont' de quêter !
Si vous vous sauvez pas, mes gueuses,
moé, j'm'en vais vous faire arrêter ! »

Le mond' c'est comm' ça ! La misère,
en pièc', ça les fait pleurnicher ;
mais quand c'est vrai, c't'une autre affaire !
...La vie, c'est ben mal emmanché !

☆ ★ ·☆

DEVANT LE MONUMENT
VAUQUELIN

Dis-moi donc ! as-tu fait fortune ?
Te v'la r'tourné en monument,
Pis, tu rest's su' la plac' Neptune !
Mon vieux Vauqu'lin, c'est surprenant !

C'est vrai qu'à voir les gens d'La Presse,
— (L'journal des intellectuels) —
S'planter pour te lire une adresse.
Y 'avait d'quoi r'virer statue d'sel...

T'es t'entouré d'maisons pas sûres ;
J'sais ben qu'c'est pas toé qu'a choisi ;
Si j'étais d' toé, mon vieux, j't'assure
Que j'me plaindrais à Bruchési.

C'est un' plac' à mauvais's rencontres.
T'es mieux de t'méfier en tous cas,
Et pis, prends ben garde à ta montre :
Icit', c'est tout plein d'avocats.

Tu vas dir' qu' j'sus pas artistique,
C'est vrai qu' j'sus un ancien cageux,
Mais j'peux ben l'dir', saprée boutique !
Ton monument, c'est pas vargeux !

Ta statue a des bott's malouines
Pis des cuiss's en feuill' de tuyau ;
C'est curieux, j'trouv' pas qu'ç'a bonn' mine,
C'est pas d'ma faut', j'comprends pas l'Beau.

Pis, tu parl's d'un' pos' de statue !
T'as l'air d'un gâs contr' un poteau
Qu'a peur de traverser la rue
A six heur's quand c'est plein d'autos...

...Ton aventur' su' l'Atalante,
C'est rar' ceux qui la connaissaient.
Le mond' s'en fich' comm' d'l'an quarante ;
Dans l'fond y t'trouv' pas mal zazais.

Y trouv' qu'la vertu, l'sacrifice,
L'honneur avec tout l'tremblement,
Ça donn' pas autant d'bénéfices
Qu'un' bonn' « job » au gouvernement.

Leur religion est mieux fionnée ;
Y sont dans la bonn' « direction ».
Y fuient les mauvai's « compagnées »,
Pis y'évit'nt les mauvais's « actions »...

Pour en r'venir à ton affaire,
T'as pas eu l'tour, mon vieux Vauqu'lin.
J'vois ben qu't'avais pas l'savoir-faire
Qu'ont déjà eu nos échevins

T'aurais dû dir' : « Faisons l'entente
Pour régler ça sans discussion ;
Si vous voulez prendr' l'Atalante,
Ben, payez-moé un' commission. »

Mais, t'en avais des idées croches !
Tu d'vais ben savoir qu'un drapeau
C'est fait pour fourrer dans notr' poche
Quand y'a du danger pour notr' peau.

Dans l'mond', tu sauras qu'en fin d'compte,
S'agit pas d'défendr' des bateaux ;
L'succès c'est pour celui qu'en monte,
Les autr's, mon vieux, c'est des nigauds.

☆ ★ ☆

J'REST' VAGABOND
(inédit)

Dans mon jeun' temps, j'rêvais d'êtr' riche ;
Ça fait longtemps qu' j'en suis r'venu.
J'ai pas un sou, ça fait qu' j'me fiche
de M'sieur l'Inspecteur du R'venu.

Non, j' me fais pas d'cravass's ! j'sais que
quand mêm' j'travaill'rais à tord-cou,
j'tir'rai toujours l'yâbl' par la queue
et j'me trouv'rai toujours dans l'trou.

Tout' c'que j'aurais, c'est des ulcères,
des cramp's puis d'z'indigestions.
J'irais finir au dispensaire
comm' beau sujet d'vivisection.

Là, j'prendrais les nouveaux remèdes
qu'les fabricants font essayer
sur les pauvr's gueux qu'ont besoin d'aide ;
s'ils crèv'nt, tant pis, y'ont pas payé !

Travailler, c'est tout c'que ça donne.
Plus on s'éreinte et moins on dort ;
plus on s'démèn' puis s'époumone,
plus vite on s'en va chez l'croqu'-morts.

J'laisse aux autr's leurs rêv's de richesse ;
j'prends dans la vie tout c' qu'elle a d'bon.
Que ceux qui veul'nt se fass'nt d'la graisse,
j'suis ben comm' j'suis, j'rest' vagabond !

☆ ★ ☆

JE POSE
MA CANDIDATURE
(inédit)

J'commence à m'tanner d'me fair' dire :
« Pourquoi c'est qu't'es pas député ? »
J'sais si ben qu'pour me faire élire
j'ai pas besoin d'êtr' ben fûté.

Il faut un' cart' de compétence
Mêm' pour être un simple ouvrier,
Mais ça prend aucun' connaissance
pour s'mettre à politicailler.

...Faudra que j'gagne à la barbotte,
Vu qu'faut du whiskey puis d'l'argent
Pour pouvoir m'ach'ter assez d'votes ;
Des cabaleurs, c'est exigeant.

Comm' de raison, faut êtr' pratique ;
Ach'ter trop d'vot's, c'est un défaut,
Vu qu'l'économie politique
C'est d'pas ach'ter plus d'vot's qu'il faut.

Un' fois élu, j'm' la coul'rai douce
Comm' tout bon membr' du parlement.
J' m'éreint'rai à m'tourner les pouces.
Pour supporter l'gouvernement.

J'vous promets que j'resterai tranquille
Puis qu' j'aurai jamais d'opinion.
A quoi ça sert de s'fair' d'la bile
Au lieu d's'occuper d'ses oignons ?

J's'rai pas d'ces zélés qui s'débattent
En disant qu'ils font leur devoir.
Moi, j' promets d'rester à quatr' pattes
Devant ceux qui sont au pouvoir.

Puis, quand j'mourrai, j's'rai dans la gloire !
Comm' député d'un lot d'bêtas,
Rumilly m'mettra dans l'Histoire
Parmi nos plus grands homm's d'état.

☆ ★ ☆

MÉDITATIONS
SUR L'HIVER

Dir' que v'là l'hiver qui s'amène,
Qu'v'là l'frett qui commenc' pour tout d'bon !
Si' n'a à qui ça fait d'la peine,
C't'jours pas aux marchands d'charbon.

L'charbon, ça s'donn' pas pour des prunes
Ceux qu'en achèt'nt s'n'ont aperçu.
On s'chauff' toujours pas à la lune,
Avec des p'lott's de neig', non plus !

Les savants qui font d'z'écritures
Dis'nt qu'icitt' c't'un pays d'santé.
Moé, j'connais notr' température,
J'trouv' pas qu'y'a d'quoi tant s'en vanter.

L'frett', c'est beau pour les personnes
Qu'ont un' maison ben à couvert,
Pis qu'ont un' fournais' qui ronronne.
Eux-autr's sav'nt pas c'que c'est, l'hiver.

Quand j'pens' que y'a du pauvre monde
Dans des maisons frett's comm' dehors
Qu'écout'nt le vent qui sil', qui gronde
Dans leu chuinée pis leu poêl' mort.

Y'a des pauvr's z'enfants qui grelottent
Pis qui s'couch'nt, le soir, sans manger,
Des mér's de famill' qui sanglotent
Quand l'mari rentr', découragé.

C'pas étonnant qu'i' ait pus d'courage !
Pus d'pain ! pus d'charbon ! pus un sou !
Y'a pas moyen d'trouver d'ouvrage ;
Y'a eu beau chercher tout partout.

Par-dessus l'marché, l'propriétaire
Va v'nir collecter son loyer
Pis prendra pas d'temps à les faire
J'ter dehors s'y peuv'nt pas payer.

...C'est vrai que j'sus pas millionnaire,
Y s'en manqu' ben, pis d'un grand bout ;
J'sus pas rich', mais j'ai pas d'misère,
Pis, on a ben un p'tit peu d'tout !

J'pense à ça quand j'ai l'z'idées noires,
Que j'me sens pas trop su' l'piton,
Qu'j'ai envie d'ruer dans les menoires,
Pis ça me r'met te-suit' su' l'ton.

EN REGARDANT
LA LUNE

A soir, j'ai l'coeur tout plein d'tristesse.
C'est drôl, j'me sens tout à l'envers !
J'ai soif d'amour et pis d'tendresse
quasiment comme un faiseux d'vers.

J'vois la lune au d'ssus des bâtisses,
Ell' r'luit comme un trent' sous tout neu ;
ma foi d'gueux, c'est ell' qui m'rend triste
et qui m'met des larm's dans les yeux.

En la r'gardant, des fois, j'me d'mande
si y'a des gens qui viv'nt là-d'ssus
qu'ont faim quand la misère est grande,
qu'ont fret' parc' quy ont pas d'pardessus.

C'est-i' pareil comm' su' notr' terre ?
Y'a-t-i' des chagrins pis des pleurs,
des pauvres yâbl's, des rich's, des guerres,
des rois, des princ's pis des voleurs ?

Pis, y'a-t-i' des gens qui pâtissent
sans savoir c'qui mang'ront l'lend'main ;
tandis que tant d'autr's s'enrichissent
dans l'trust d'la viande et pis du pain ?

Y'a-t-i' ben des enfants qui meurent
faut' d'argent pour en avoir soin ?
Et pis des pauvres mèr's qui pleurent
En r'gardant l'ber qu'est vid' dans l'coin?

Y'a-t-i' des pauvres gueux qui rêvent
d'être heureux pis qui l'sont jamais,
qu'attend'nt toujours et pis qui crèvent
sans rien avoir de c'qui z'aimaient ?

Tandis que j'rêve au clair d'la lune,
doit y'en avoir en pâmoison,
par là, qui pleur'nt leurs infortunes
au clair d'la terr'... comm' de raison !

☆ ★ ☆

EN RÔDANT DANS
L'PARC LAFONTAINE

A soir, j'suis v'nu tirer un' touche
dans l'parc Lafontain', pour prendr' l'air
à l'heure ousque l'soleil se couche
derrière' la ch'minée d'chez Joubert.

Ici, on peut rêver tranquille
d'vant l'étang, les fleurs pis l'gazon.
C'est si beau qu'on s'croit loin d'la ville
ousqu'on étouff' dans nos maisons.

Les soirs d'été, c'est l'coin d'ombrage
pour v'nir prendr' la fraîch' pis s'promener,
après qu'on a sué su' l'ouvrage,
qu'l'eau nous pissait au bout du nez.

Faut voir les gens d'la class' moyenne,
c'-t'àdir' d'la class' qu'à pas l'moyen,
tous les soirs que l'bon Yieu amène,
arriver icit' à pleins ch'mins.

Les v'là qui viennen'nt, les pèr's, les mères,
les amoureux pis les enfants
dans l'z'allées d'érabl's-à-giguère
qui tournaill'nt tout autour d'l'étang.

Ça vient chercher un peu d'verdure,
un peu d'air frais, un peu d'été,
un peu d'oubli qu'la vie est dure,
un peu d'musique, un peu d'gaîté !

Les jeun's, les vieux, les pauvr's, les riches,
chacun promèn' son coeur, à soir.
Y'en a mêm', tout seuls, qui pleurnichent
su' l'banc ousqu'i' sont v'nus s'asseoir...

Par là-bas, au pied des gros saules,
v'là un couple assis au ras l'eau ;
la fill' frôl' sa têt' su' l'épaule
d'son cavalier qu'est aux oiseaux.

A l'ombre des tall's d'aubépines,
d'autr's amoureux vienn'nt s'fair' l'amour
Vous savez ben d'quoi qu'i' jaspinent :
Y s'promett'nt de s'aimer toujours.

Y sav'nt pas c'te chos' surprenante,
qu'l'amour éternel, c'est, des fois,
comm' l'ondulation permanente :
c'est rar' quand ça dur' plus qu'un mois.

Pour le moment, leur vie est belle ;
y jas'nt en mangeant tous les deux
des patat's frit's dans d'la chandelle,
en se r'gardant dans l'blanc des yeux.

Deux mots d'amour, des patat's frites !
Y sont heureux, c'est l'paradis !
Ah ! la jeuness', ça pass' si vite,
pis c'est pas gai quand c'est parti !

...D'autr's pass'nt en poussant su' l'carosse ;
c'est des mariés d'l'été dernier.
Ça porte encor leu ling' de noces,
qu'ça déjà un p'tit à soigner...

Par là-bas, y'en a qui défilent
devant le monument d'Dollard
qu'est mort en s'battant pour la ville.
...D'nos jours, on s'bat pour des dollars...

Tandis que j'pass' su' l'pont rustique
fait avec des arbr's en ciment,
l'orchestr' dans l'kiosque à musique
s'lanc dans : « Poète et Paysan ».

Oh ! la musiqu', c'est un mystère !
On dirait qu'ça sait nous parler...
on s'sent comme heureux d'nos misères ;
ça parl' si doux qu'on veut pleurer...

D'autr's s'en vont voir les bêt's sauvages,
(deux poul's, un coq pis trois faisans.) —
Y s'arrêt'nt surtout d'vant les cages
des sing's qui s'berc'nt en grimaçant.

Y paraîtrait qu'des savants prouvent
qu'l'homme est un sing' perfectionné.
Mais, p't'êtr' ben qu'les sing's, eux autr's,

         [trouvent

qu'l'homme est un sing' qu'a mal tourné.

...Les yeux grands comm' des piastr's françaises,
la bouche ouverte et l'nez au vent,
Y'a un lot d'gens qui r'gardent à l'aise
la fontain' lumineus' d'l'étang.

C'est comme un grand arbr' de lumière,
ça monte en l'air en dorant l'soir.
C'est couleur d'or, d'rose et d'chimère :
ça r'tomb, d'un coup, comm' nos espoirs.

Ah ! c'est ben comm' les espérances
qu'la vie nous four' toujours dans l'coeur !
Ça mont', ça r'tomb' pis ça r'commence :
dans l'fond, ça chang' rien qu'de couleur.

☆ ★ ☆

LA MESSE DE MINUIT

Vous trouvez pas qu'ça pass' plus vite
que d'notr' temps aux jours d'aujourd'hui ?
A soir, pensons-y, saint' bénite !
C'est déjà la mess' de minuit !

Y'm sembl' que l'bourdon' d'Notre-Dame
Nous parle au coeur d'en haut d'sa tour,
Y'a l'air de dir' : « Boum ! Bam ! Boum ! Bame !
V'là qu'c'est Noël, v'là qu'c'est l'grand jour ! »

Ah ! n'en v'là encore un' bell' fête
Qu'est pus comm' dans l'temps d'autrefois.
J'sais pas pourquoi ? P't-êtr' ben qu' c'est p'tête
Parc' qu'à c't'heur', y'a pus autant d'foi ?

D'mon temps, les p'tits gâs, les p'tit's filles,
C'était à qui s'rait l'plus réjoui
Quand on partait tout' la famille
Pour s'rendre à la messe de minuit.

Pour lors, on allait à l'église
Dans notr' grand traîneau à bâtons.
L'pèr' faisait galoper la grise
Pour qu'on arrive avant l'tinton.

L'z'enfants, on était tous ensemble
Dans l'fond d'la traîne, assis dans l'foin.
C'pas chaud, la nuit dans l'mois d'décembre,
Et pis, l'églis' c'tait pas mal loin.

On s'sentait gai, pis l'coeur allège
Tandis qu'la gris' filait l'galop.
C'était beau l'z'étoil's, la rout', la neige,
Pis la sonnaillerie des grelots...

Y'semblait d'voir l'étoil' des Mages
Au d'ssus d'nous z'autr's dans l'firmament
Comme y la montr' su' les images
Du grand cat'chism' des confirmants...

Ça me r'vient tout à la mémoire !
Des fois, j'aim' ça m'en souv'nir ;
Et pis, ça m'donn' des idées noires
Quand j'pens' que ça peut pus r'venir.

A c't'heur' le monde ont tant d'affaires
Qu'y trouv'nt pus l'temps ni l'tour dêtr' gais.
On dirait qu'i' sont pas d'équerre,
Y'ont d'l'air r'chigneux pis fatigué...

La rue est plein', de limousines,
Des McLaughlin, des Chevrolets,
Mêm' des charrett's à gazoline,
(Y'appell'nt ça des « Fords » en anglais).

Vu qu'j'sus pas sous la loi Lacombe,
J'ai pas d'auto ; j'sus v'nu à pied.
Les p'tits chars, eux-autr's étaient combes,
J'étais pas pour m'faire estropier.

Tout c'mond'-là, c'est v'nu à la messe
Comme à l'ouvertur' d'l'Opéra.
Les femm's vienn'nt montrer leu richesses,
Leu toilett's neuv's et cettera.

C'est pas pour prier qu'le mond' rentre.
Y'ont pas d'chap'let ni d''Paroissien ;
Y vienn'nt pour écouter les chantres,
L'organist' pis les musiciens.

Si 'n'a qu' sav'nt pus leu prières,
C'est ben le plus p'tit nombr' pourtant.
Nous autr's on prie comm' nos vieill's mères,
On gard' la foi du bon vieux temps.

☆ ★ ☆

NOS DÉCOUVREURS

C'est dans l'hiver d'quinz'-cent-trent'-quatre,
à c'que nous dis'nt les almanachs,
qu' Jacqu's-Cartier est v'nu en frégate
pour découvrir le Canada.

D'puis c'temps-là, en Franc', c'est l'usage
que d'z'écrivains, des faiseux d'vers
vienn'nt par icit' faire un voyage
de découvert' tous les hivers.

Oui ! aussitôt qu'le frett commence,
c'est en plein l'temps ousqu'on s'fait scier
par des oiseaux qui vienn'nt de France
exprès pour nous conférencier.

Seul'ment, j'voudrais pas mettr' la faute
su' l'dos d'ceux qui sont innocents.
Y'a d'z'opulents, mais y'en a d'autres
qui sont polis pis pleins d'bon sens.

Y disent qu'on descend d'la vieil' France,
qu'on est Breton, Normand, Poit'vin,
Moé, ça m'fait pas grand'différence
du moment que j'suis Canayen.

Y'parl'nt d'leu z'anciens rois, d'leu reines
ou ben d'Napoléon Premier.
Tout c'mond'-là, sans leur fair' de peine,
c'tait pas mieux qu'Sir Wilfrid Laurier.

Malgré tout's leu parol's mielleuses
on sent qu'y nous mépris'nt dans l'fond.
Y nous r'gard'nt comm' des bêt's curieuses
pour fair' d'z'articl's à sensation.

Y'en a qui vienn'nt fair' des études
su' nos manièr's et pis nos gens.
Y critiqu'nt ben nos habitudes
mais y haïssent pas notre argent.

Pis, quand y r'tourn'nt de leur voyage,
Y dis'nt aux gens de par chez eux :
« Le Canada, c'est plein d'sauvages. » ...
Moé, j'nai jamais vu, c'est curieux !

S'y trouv'nt pas ça beau comme en France,
si y'ont tant d'chos's à nous r'procher,
pourquoi qu'y vienn'nt ici ? Bondance,
c'pas moé qu'a été les chercher !

Moé, si j'allais à la Sorbonne
donner des cours comm' M'sieur Monp'tit,
Ah ! que j'leur en coll'rais des bonnes !
J'me r'veng'rais, j'vous en garantis !

Faut que j'm'la ferm'. Ça m'f'rait dommage,
Si j'passais pour un chicaneur ;
J'perdrais mes chanc's de décorage
De ruban d'la Légion d'Honneur.

☆ ★ ☆

MÉDITATIONS
SU' LA MORT

Ç'arriv' des fois que j'lis La Presse :
c'est plein d'meurtr's, de guerr's pis d'procès,
pourtant y'a rien qui m'intéresse
autant comm' la pag' des décès.

A soir, y'en a deux collon's pleines
de noms d'bon monde ou d'aigrefins,
d'rich's qu'ont jamais connu la peine,
de pauvr's qu'ont fini d'avoir faim.

C'est pas de c'que j'suis philosophe,
mais c'te pag'-là m'fait plus rêver
qu'tout's les histoir's de catastrophes,
d'actric's célèbr's pis d'chiens crevés.

Y'a pas à dir', faut ben s'attendre,
qu'ça soit plus tard, qu'ça soit betôt,
Y viendra notr' tour de descendre,
un bon jour, dans l'trou du bedeau.

Pourtant, mon Yeu ! comme on s'démène
pour tâcher d'ramasser queuqu'sous !
On s'fait aller à coeur de s'maine ;
tout ça pour finir dans l'mêm' trou.

Ah ! on travaille, on s'époumone,
on rêv' de gloire, on s'leur' d'espoir ;
on veut êtr' plus heureux qu' personne,
pi, crac ! nous v'là mort un bon soir !

Nous v'là exposé su' les planches
parmi les chandell's dans l'salon,
tandis qu'la parenté s'démanche
pour faire honneur au réveillon.

Bonsoir les amis, les affaires !
On peut rien emporter d'l'autr' bord.
On n'a pas besoin d'maison d'pierre,
à c'qui paraît, quand on est mort.

Eh ben ! oui, bonsoir la visite !
Bonsoir ! y'a pas de r'venez-y ;
pauvr', c'est l'Libéra au plus vite,
rich', c'est la mess' de Pérosi...

Pour les pauvr's, quand l'croqu'-mort arrive,
et ben ! c'est l'restant des écus !
On a jamais eu l'moyen d'vivre,
on l'a pas pour mourir non plus !

Dir' qu'on travaill'ra à forfaite
pour avoir quelqu's piastr's le sam'di ;
qu'on pass'ra notr' vie dans les dettes,
pis qu'faudra mourir à crédit.

...Ça sert à rien d'fair' du chiâlage !
Faudra tous finir par finir,
vu' qu'la vie, y'a pas d'tortillage,
c'est l'temps qu'ça nous prend à mourir !

☆ ★ ☆

CHIALAGES
(inédit)

Au lecteur

Attendez-vous pas que j'vous ponde
des vers qui s'raient meilleurs qu' ceux-là
J'suis comm' la plus bell' fill' du monde
qui peut pas donner plus qu'elle a.

Civilisation

En débarquant sur nos rivages,
les découvreurs tombaient à g'noux
puis, ensuit'... su l'dos des sauvages,
sans jamais ménager leurs coups.

Le bonheur

Faudrait jamais qu' ton bonheur fasse
trop d'éclat ; tu f'rais des jaloux.
Qu'il soit simpl' comme un' montr' d'un' piasse
qui tent'ra jamais un filou.

L'expérience

L'expérienc', c'est un bagage,
à c'qui paraît, ben merveilleux :
c'est c'qui nous rest' quand on est d'âge
à perdr' notr' plac' vu qu'on est vieux.

Le succès

Ça s'pourrait qu'au temps d'notr' vieillesse
on soit riche et puis important,
oui !... Ça beau êtr' beau, la richesse,
ça nous r'donn'ra pas nos vingt-ans.

Les deux extrêmes

Quand on a du pain sur la planche,
on est heureux comm' des p'tits fous,
oui !... Mais c'est un' autr' pair' de manches,
quand nos poch's sont rien qu' plein's de trous.

JASPINAGES
(inédit)

Nos lumières

Nos députés, c'est des lumières
qui m'font penser aux mouch's à feu.
Y'ont tout leur éclat dans l'derrière
et ça éclair' rien qu'les suiveux.

Autre prière

On a pus un sou quand on crève
avec les bons soins des docteurs.
Pour qu'il rest' quelqu' chose à ma veuve,
fait's que j'meur' subit'ment, Seigneur !

Avertissement

Pour qu' l'écrivain s'fass' pas d'chimères
en m'nant un' vie de bric à brac,
à l'entrée d'la « voie littéraire, »
qu'on mett' donc une affich' : « CUL D'SAC » !

L'espoir

Nourrir d'l'espoir dans notr' jeunesse,
c'est naturel ; tout nous sourit
jusqu'à c'qu'on trouv', dans notr' vieillesse,
qu'l'espoir nous a jamais nourri.

Bilinguisme

Etr' bilingue ! Ah ! quel avantage !
pouvoir prendre à la radio
deux fois plus d'romans-savonnage
et de commentair's idiots !

La belle toilette

Fait's-vous pas trop d'illusions
sur un' toilett' ben amanchée.
Après tout, l'plus beau papillon,
c'est rien qu'un' ch'nille endimanchée.

La musique moderne

Tout' la grand' musiqu' modern', j'pense
qu'c'est du vacarme organisé.
Mais l'don qu'on peut pas lui r'fuser,
c'est d'nous faire aimer mieux l'silence.

Economie

Ménag', t'auras ta récompense
quand le trent' d'avril s'ra venu :
tu pourras p't'-êtr' payer, — quell' chance ! —
tout ton impôt sur le r'venu !

Vieillesse

Quand on est jeune, on fait des rêves,
on s'bâtit des projets d'av'nir.
Mais c'est un sign' qu' notr' vie achève
quand on brass' plus rien qu'des souv'nirs.

Les avocats

Plaid' jamais, vu qu't'es sûr d'avance
qu' un' fois pris entr' deux avocats,
pour t'en tirer t'as pas plus d'chance
qu'un poisson pris entre deux chats.

Le secours

Fiez-vous pas à tout l'mond'. C'est drôle
mais ça s'pourrait qu' vous vous trompiez !
Quand vous d'mand'rez un coup d'épaule,
des fois, vous r'cevrez un coup d'pied.

Sans taxes

Un d'ces bons jours, faudra qu' tu crèves ;
A quoi ça sert de t'tracasser ?
Ris à la vie et fais des rêves,
Puisqu' y'a rien qu'ça qu'est pas taxé.

Vivre et écrire

Jeun' on voulait vivr' pour écrire ;
On barbouillait sans s'fatiguer.
C'était l'beau temps, y'a pas à dire,
Mais écrir' pour vivr', c'est pas gai !

☆ ★ ☆

Passant j'ai rencontré trop les rues
Quand ils s'en revient d'travailler
Les passé, légume et puis leurs grues
Tout est qu'on les empêch' de ch'vauchor
······
·····························
···· les rues ····················

Passant je ···················· les rues
Quand on ····· revient d'travailler,
Les fameux et puis leurs grues
Ont d'la ····· à ····
············

Passant je ········ trop les rues

Les jours ······ rencontr'nt trop les rues
Quand ils s'en ·····
Quand ils revienn'nt de travailler.
Les passé leurs, et puis leurs grues
Trouv'nt qu'on les empêch' de ch'vailler

Oui ! Ils veul'nt nous fair' vivr'e sous terre.
Y'ont hât' de s'rendre à leur chalet.
Ils veul'nt pouvoir rouler à l'aise
Dans des rues vid's com' ça leur plaît.

- N O T R E   F U T U R   M E T R O -

Un lot d'génies d'l' hôtel-de-ville
veut un métro pour transporter
tout' notr' population civile
~~sous terr' pour pas q'faire embêter.~~
j'en pas q' m' puss' les embêter.

→ Oui! ils veul'nt nous prom'ner sous terre
pour qu'ceux qui vont à leur chalet
ou jouer au golf roul'nt sans misère
vous
~~En~~ grand' vitess' comm' ça leur plait.

vous
~~Puis,~~ c'métro-là,c'est pas les riches,
C'est ~~mais~~ vous puis moi qui paierons pour.
Qu'ça mêm ' null' part,ça ils s'en fichent;
on va s'~~afire~~ emplir comm' toujours!
faire

Ca sert à rien d'fair'du chiâlage
et puis d'crier qu'on n'en veut pas.
C'est un' trop bell' chanc' de "boodlage"
pour ceux qui connaiss'nt le tabac!

Faire un métro,ça s'ra facile;
-on d'vrait app'ler ça un Métrou,-
vu que les conseillers d'notr' ville
ont toujours su nous mettr' dans l'trou!

-----OOOOO-----

Seul'ment, ça va prendre une escousse
avant que l'métro soit construit-
Vu qu'un lot d'chevins s'foussent
l'on qu'ça leur donne un p'tit profit.

ACHEVÉ D'IMPRIMER
À L'IMPRIMERIE ELECTRA
POUR LES ÉDITIONS DE L'HOMME LTÉE

Ouvrages parus
chez les Éditeurs du groupe Sogides

Ouvrages parus aux
ÉDITIONS
DE L'HOMME

ENCYCLOPEDIES

Encyclopédie de la maison québécoise,
M. Lessard et H. Marquis, **6.00**

Encyclopédie des antiquités du Québec,
M. Lessard et H. Marquis, **6.00**

Encyclopédie des oiseaux du Québec,
Earl Godfrey, **6.00**

Encyclopédie du jardinier horticulteur,
W. H. Perron, **6.00**

La bibliothèque du MONDE NOUVEAU

Une culture appelée québécoise,
Giuseppe Turi, **2.00**

Pour une radio civilisée, Gilles Proulx, **2.00**

Un peuple oui, une peuplade jamais,
Jean Lévesque, **3.00**

HISTOIRE • BIOGRAPHIES • BEAUX-ARTS

**Blow-up des grands de la chanson
au Québec,** M. Maillé, **3.00**

Camillien Houde, H. Larocque, **1.00**

Ce combat qui n'en finit plus,
A. Stanké et J.-L. Morgan, **3.00**

Charlebois, qui es-tu, R. L'Herbier, **3.00**

**Chroniques vécues des modestes origines
d'une élite urbaine,** H. Grenon, **3.50**

Conseils à ceux qui veulent bâtir,
A. Poulin, arch., **2.00**

Des hommes qui bâtissent le Québec,
en collaboration, **3.00**

Félix Leclerc, J.-P. Sylvain, **2.50**

Fête au village, P. Legendre, **2.00**

«J'aime encore mieux le jus de betterave»,
A. Stanké, **2.50**

Juliette Béliveau, D. Martineau, **3.00**

La Bolduc, R. Benoît, **1.50**

La France des Canadiens, R. Hollier, **1.50**

La mort attendra, A. Malavoy, **1.00**

La vie orageuse d'Olivar Asselin,
(2 tomes), A. Gagnon, **1.00** chacun
(Edition de luxe), **5.00**

Le drapeau canadien, L.-A. Biron, **1.00**

Le Fabuleux Onassis, C. Cafarakis, **3.00**

Le vrai visage de Duplessis, P. Laporte, **2.00**

Les Canadiens et nous, J. de Roussan, **1.00**

Les Acadiens, E. Leblanc, **2.00**

Les trois vies de Pearson,
J.-M. Poliquin et J. Beal, **3.00**

L'imprévisible Monsieur Houde,
C. Renaud, **2.00**

Michèle Richard raconte Michèle Richard,
M. Richard, **2.50**

Napoléon vu par Guillemin,
H. Guillemin, **2.50**

Notre peuple découvre le sport
de la politique, H. Grenon, **3.00**

On veut savoir, L Trépanier,
(4 tomes), **1.00** chacun

Prague, l'été des tanks,
En collaboration, **3.00**

Premiers sur la lune,
N. Armstrong, M. Collins, E. Aldrin, **6.00**

Prisonnier à l'Oflag 79, Maj. P. Vallée, **1.00**

Québec 1800, En collaboration, **15.00**

Rescapée de l'enfer nazi,
R. Charrier (Madame X), **1.50**

Riopelle, G. Robert, **3.50**

Un Yankee au Canada, A. Thério, **1.00**

LITTERATURE (romans, poésie, théâtre)

Amour, police et morgue, J.-M. Laporte, **1.00**

Bigaouette, Raymond Lévesque, **2.00**

Bousille et les justes, G. Gélinas, **2.00**

Candy, Southern & Hoffenberg, **3.00**

Ceux du Chemin taché, A. Thério, **2.00**

De la Terre à la Lune, J. Verne, **1.50**

Des bois, des champs, des bêtes,
J.-C. Harvey, **2.00**

Dictionnaire d'un Québécois,
C. Falardeau, **2.00**

Ecrits de la taverne Royal,
En collaboration, **1.00**

Gésine, Dr R. Lecours, **2.00**

Hamlet, prince du Québec, R. Gurik, **1.50**

"J'parle tout seul quand j'en narrache",
E. Coderre, **1.50**

La mort d'eau, Y. Thériault, **2.00**

Le malheur a pas des bons yeux,
R. Lévesque, **2.00**

Le printemps qui pleure, A. Thério, **1.00**

L'Ermite, T. L. Rampa, **3.00**

Le roi de la Côte Nord, Y. Thério, **1.00**

Le vertige du dégoût, E. Pallascio-Morin **1.00**

L'homme qui va, J.-C. Harvey, **2.00**

Les cents pas dans ma tête, P. Dudan, **2.50**

Les commettants de Caridad,
Y. Thériault, **2.00**

Les mauvais bergers, A. Ena Caron, **1.00**

Les propos du timide, A. Brie, **1.00**

Les temps du carcajou, Y. Thériault, **2.50**

Les vendeurs du temple, Y. Thériault, **2.00**

Marche ou crève Carignan, R. Hollier, **2.00**

Mes anges sont des diables,
J. de Roussan, **1.00**

Montréalités, A. Stanké, **1.50**

Ni queue ni tête, M.-C. Brault, **1.00**

Pays voilés, existences, M.-C. Blais, **1.50**

Pomme de pin, L. Pelletier-Dlamini, **2.00**

Pour entretenir la flamme,
T. L. Rampa, **3.00**

Pour la grandeur de l'Homme,
C. Péloquin, **2.00**

Prix David, C. Hamel, **2.50**

Tête Blanche, M.-C. Blais, **2.50**

Ti-Coq, G. Gélinas, **2.00**

Toges, bistouris, matraques et soutanes,
En collaboration, **1.00**

Topaz, L. Uris, **3.50**

Un simple soldat, M. Dubé, **1.50**

Valérie, Y. Thériault, **2.00**

LINGUISTIQUE

Améliorez votre français, J. Laurin, **2.50**

L'anglais par la méthode choc,
J.-L. Morgan, **2.00**

Le langage de votre enfant,
C. Langevin, **2.50**

Les verbes, J. Laurin, **2.50**

Mirovox, H. Bergeron, **1.00**

Petit dictionnaire du joual au français,
A. Turenne, **2.00**

Savoir parler, R. Salvator-Catta, **2.00**

RELIGION

L'abbé Pierre parle aux Canadiens,
Abbé Pierre, **1.00**

Le chrétien en démocratie,
Abbés Dion et O'Neil, **1.00**

Le chrétien et les élections,
Abbés Dion et O'Neil, **1.50**

L'Eglise s'en va chez le diable
G. Bourgeault, s.j., J. Caron, ptre
et J. Duclos, s.j. **2.00**

LE SEL DE LA SEMAINE (Fernand Seguin)

Louis Aragon, **1.00**
François Mauriac, **1.00**
Jean Rostand, **1.00**

Michel Simon, **1.00**
Han Suyin, **1.00**
Gilles Vigneault, **1.00**

LOISIRS

Apprenez la photographie avec
Antoine Désilets, **3.50**

Bricolage, J.-M. Doré, **3.00**

Camping-caravaning, en collaboration, **2.50**

Cinquante et une chansons à répondre,
P. Daigneault, **2.00**

Guide du Ski, Québec 72,
en collaboration, **2.00**

J'ai découvert Tahiti, J. Languirand, **1.00**

Jeux de société, L. Stanké, **2.00**

Informations touristiques: LA FRANCE,
en collaboration, **2.50**

Informations touristiques: LE MONDE,
en collaboration, **2.50**

Juste pour rire, C. Blanchard, **2.00**

La technique de la photo, A. Desilets, **3.50**

L'hypnotisme, J. Manolesco, **3.00**

Le guide de l'astrologie, J. Manolesco, **3.00**

Le guide de l'auto (1967), J. Duval, **2.00**

(1968-69-70-71), **3.00** chacun

Course-Auto 70, J. Duval, **3.00**

Le guide du judo (technique au sol),
L. Arpin, **3.00**

Le guide du judo (technique debout),
L. Arpin, **3.00**

Le Guide du self-défense, L. Arpin, **3.00**

Le jardinage, P. Pouliot, **3.00**

Les cabanes d'oiseaux, J.-M. Doré, **3.00**

Les courses de chevaux, Y. Leclerc, **3.00**

Les techniques du jardinage, P. Pouliot, **5.00**

Origami, R. Harbin, **2.00**

Trucs de rangement No 1, J.-M. Doré, **3.00**

Trucs de rangement No 2, J.-M. Doré, **3.00**

« Une p'tite vite! », G. Latulippe, **2.00**

Vive la compagnie!, P. Daigneault, **2.00**

PSYCHOLOGIE PRATIQUE • SEXOLOGIE

Comment vaincre la gêne et la timidité,
R. Salvator-Catta, **2.00**

Complexes et psychanalyse,
P. Valinieff, **2.50**

Cours de psychologie populaire,
En collaboration, **2.50**

Développez votre personnalité, vous
réussirez, S. Brind'Amour, **2.00**

En attendant mon enfant,
Y. P. Marchessault, **3.00**

Hatha-yoga, S. Piuze, **3.00**

Helga, F. Bender, **6.00**

Interprétez vos rêves, L. Stanké, **3.00**

L'adolescent veut savoir,
Dr L. Gendron, **2.00**

L'adolescente veut savoir,
Dr L. Gendron, **2.00**

L'amour après 50 ans, Dr L. Gendron, **2.00**

La contraception, Dr L. Gendron, **2.00**

La dépression nerveuse,
En collaboration, **2.50**

La femme et le sexe, Dr L. Gendron, **2.00**

La femme enceinte, Dr R. Bradley, **2.50**

L'homme et l'art érotique,
Dr L. Gendron, **2.00**

La maman et son nouveau-né,
T. Sekely, **2.00**

La mariée veut savoir, Dr L. Gendron, **2.00**

La ménopause, Dr L. Gendron, **2.00**

La merveilleuse histoire de la naissance,
Dr L. Gendron, **3.50**

La psychologie de la réussite,
L.-D. Gadoury, **1.50**

La relaxation sensorielle,
adaptation de P. Gravel, **3.00**

La sexualité, Dr L. Gendron, **2.00**

La volonté, l'attention, la mémoire,
R. Tocquet, **2.50**

Le mythe du péché solitaire,
J.-Y. Desjardins et C. Crépault, **2.00**

Le sein, En collaboration, **2.50**

Les déviations sexuelles, Dr Y. Léger, **2.50**

Madame est servie, Dr L. Gendron, **2.00**

Les maladies psychosomatiques,
Dr R. Foisy, **2.00**

Pour vous future maman, T. Sekely, **2.00**

Quel est votre quotient psycho-sexuel?,
Dr L. Gendron, **2.00**

Qu'est-ce qu'un homme?,
Dr L. Gendron, **2.00**

Qu'est-ce qu'une femme?,
Dr L. Gendron, **2.50**

Teach-in sur la sexualité,
En collaboration, **2.50**

Tout sur la limitation des naissances,
M.-J. Beaudoin, **1.50**

Votre écriture, la mienne et celle des
autres, F.-X. Boudreault, **1.50**

Votre personnalité, votre caractère,
Y.-B. Morin, **2.00**

Vos mains, miroir de la personnalité,
P. Maby, **3.00**

Yoga, santé totale pour tous,
G. Lescouflair, **1.50**

Yoga Sexe, Dr L. Gendron, S. Piuze, **3.00**

SCIENCES NATURELLES

La taxidermie, J. Labrie, **2.00**

Les mammifères de mon pays,
J. St-Denys Duchesnay et R. Dumais, **2.00**

Les poissons du Québec,
E. Juchereau-Duchesnay, **1.00**

SCIENCES SOCIALES • POLITIQUE

A.B.C. du marketing, A. Dahamni, **3.00**

Bourassa-Québec, R. Bourassa, **1.00**

Connaissez-vous la loi?, R. Millet, **2.00**

Dynamique de Groupe, J. Aubry, s.j., et
Y. Saint-Arnaud, s.j., **1.50**

Drogues, J. Durocher, **2.00**

Egalité ou indépendance, D. Johnson, **2.00**

F.L.Q. 70: OFFENSIVE D'AUTOMNE,
J.-C. Trait, **3.00**

La Bourse, A. Lambert, **3.00**

La cruauté mentale, seule cause du
divorce?, Dr Y. Léger et
P.-A. Champagne, avocat, **2.50**

La loi et vos droits,
P.-E. Marchand, avocat, **4.00**

La nationalisation de l'électricité,
P. Sauriol, **1.00**

La prostitution à Montréal, T. Limoges, **1.50**

La rage des goof-balls,
A. Stanké et M.-J. Beaudoin, **1.00**

Le budget, En collaboration, **3.00**

L'Etat du Québec, En collaboration, **1.00**

L'étiquette du mariage, M. Fortin-Jacques
et J St-Denys-Farley, **2.50**

Le guide de la finance, B. Pharand, **2.50**

Le savoir-vivre, N. Germain, **2.50**

Le savoir-vivre d'aujourd'hui,
M. Fortin-Jacques, **2.00**

Le scandale des écoles séparées en
Ontario, J. Costisella, **1.00**

Le terrorisme québécois, Dr G. Morf, **3.00**

Les bien-pensants, P. Berton, **2.50**

Les confidences d'un commissaire d'école,
G. Filion, **1.00**

Les hippies, En collaboration, **3.00**

Les insolences du Frère Untel,
Frère Untel, **1.50**

Les parents face à l'année scolaire,
En collaboration, **2.00**

Option Québec, R. Lévesque, **2.00**

Scandale à Bordeaux, J. Hébert, **1.00**

Ti-Blanc, mouton noir, R. Laplante, **2.00**

Une femme face à la Confédération,
M.B. Fontaine, **1.50**

Vive le Québec Libre!, Dupras, **1.00**

VIE QUOTIDIENNE • SCIENCES APPLIQUEES

Aérobix, Dr P. Gravel, **2.00**

Apprenez à connaître vos médicaments,
R. Poitevin, **3.00**

101 omelettes, M. Claude, **2.00**

Ce qu'en pense le notaire,
Me A. Senay, **2.00**

Comment prévoir le temps, Eric Neal, **1.00**

Conseils aux inventeurs, R.-A. Robic, **1.50**

Couture et tricot, En collaboration, **2.00**

Cuisine française pour Canadiens,
R. Montigny, **3.00**

Embellissez votre corps, J. Ghedin, **1.50**

Embellissez votre visage, J. Ghedin, **1.50**

En cuisinant de 5 à 6, Juliette Huot, **2.00**

Exercices pour rester jeune, T. Sekely, **2.00**

Fondues et flambées de maman Lapointe,
S. Lapointe, **2.00**

Guide de premiers soins, J. Hartley, **3.00**

Hors-d'oeuvre, salades et buffets froids,
L. Dubois, **2.00**

L'art de vivre en bonne santé,
Dr W. Leblond, **3.00**

La cellulite, Dr G.-J. Léonard, **3.00**

Le charme féminin, D. M. Parisien, **2.00**

La chirurgie plastique esthétique,
Dr A. Genest, **2.00**

La conquête de l'espace, J. Lebrun, **5.00**

La cuisine canadienne avec la farine
Robin Hood, **2.00**

La cuisine chinoise, L. Gervais, **2.00**

La cuisine de Maman Lapointe,
S. Lapointe, **2.00**

La cuisine en plein air,
H. Doucet-Leduc, **2.00**

La cuisine italienne, Tommy Tomasso, **2.00**

La dactylographie, W. Lebel, **2.00**

La décoration intérieure, J. Monette, **3.00**

La femme après 30 ans, N. Germain, **2.50**

La femme émancipée,
N. Germain et L. Desjardins, **2.00**

La médecine est malade, Dr L. Joubert, **1.00**

La météo, A. Ouellet, **3.00**

La retraite, D. Simard **2.00**

La/Le secrétaire bilingue, W. Lebel, **2.50**

La sécurité aquatique, J.-C. Lindsay, **1.50**

Leçons de beauté, E. Serei, **2.50**

Le guide complet de la couture,
L. Chartier, **3.50**

Le tricot, F. Vandelac

Le Vin, P. Pétel, **3.00**

Les Cocktails de Jacques Normand,
Jacques Normand, **2.00**

Les grands chefs de Montréal et leurs
recettes, A. Robitaille, **1.50**

Les greffes du coeur, En collaboration, **2.00**

Les médecins, l'Etat et vous,
Dr R. Robillard, **2.00**

Les recettes à la bière des grandes
cuisines Molson, M.-L. Beaulieu, **2.00**

Les recettes de Maman Lapointe,
S. Lapointe, **2.00**

Les soupes, C. Marécat, **2.00**

Madame reçoit, H. Doucet-LaRoche, **2.50**

Mangez bien et rajeunissez, R. Barbeau, **2.00**

Médecine d'aujourd'hui,
Me A. Flamand, **1.00**

Poids et mesures, L. Stanké, **1.50**

Pourquoi et comment cesser de fumer,
A. Stanké, **1.00**

Recettes « au blender », J. Huot, **3.00**

Regards sur l'Expo, R. Grenier, **1.50**

Régimes pour maigrir, M.-J. Beaudoin, **2.50**

Savoir se maquiller, J. Ghedin, **1.50**

Soignez votre personnalité, Messieurs,
E. Serei, **2.00**

Tenir maison, F. Gaudet-Smet, **2.00**

36-24-36, A. Coutu, **2.50**

Tous les secrets de l'alimentation,
M.-J. Beaudoin, **2.50**

Vins, cocktails, spiritueux, G. Cloutier, **2.00**

Vos cheveux, J. Ghédin, **2.50**

Vos dents, Drs Guy Déom et
P. Archambault, **2.00**

Vos vedettes et leurs recettes,
G. Dufour et G. Poirier, **3.00**

SPORTS

La natation, M. Mann, **2.50**
La pêche au Québec, M. Chamberland, **3.00**
Le baseball, En collaboration, **2.50**
Le football, En collaboration, **2.50**
Le golf, J. Huot, **2.00**
Le ski, En collaboration, **2.50**

Le tennis, W.-F. Talbert, **2.50**
Les armes de chasse, Y. Jarretie, **2.00**
Monsieur Hockey, G. Gosselin, **1.00**
Tous les secrets de la chasse,
   M. Chamberland, **1.50**
Tous les secrets de la pêche,
   M. Chamberland, **2.00**

TRAVAIL INTELLECTUEL

Dictionnaire de la loi, R. Millet, **2.00**
Dictionnaire des affaires, W. Lebel, **2.00**

Dictionnaire économique et financier,
   E. Lafond, **4.00**
Dictionnaire en 5 langues, L. Stanké, **2.00**

PUBLICATIONS RÉCENTES OU À
PARAÎTRE PROCHAINEMENT

Les insolences d'Antoine, A. Desilets, **3.00**

La 13e chandelle, T. L. Rampa, **3.00**

Ouvrages parus a
L'ACTUELLE

Aaron, Y. Thériault, **2.50**
Agaguk, Y. Thériault, **3.00**
Carré Saint-Louis, J.-J. Richard, **3.00**
Crimes à la glace, P.-S. Fournier, **1.00**
Cul-de-sac, Y. Thériault, **3.00**
Danka, M. Godin, **3.00**
D'un mur à l'autre, P.-A. Bibeau, **2.50**
Et puis tout est silence, C. Jasmin, **3.00**
Feuilles de thym et fleurs d'amour,
   M. Jacob, **1.00**
La fille laide, Y. Thériault, **3.00**
La marche des grands cocus,
   R. Fournier, **3.00**
Le Bois pourri, A. Maillet, **2.50**

Le dernier havre, Y. Thériault, **2.50**
Le domaine Cassaubon (prix de l'Actuelle
   1971), G. Langlois, **3.00**
Le dompteur d'ours, Y. Thériault, **2.50**
Le jeu des saisons,
   M. Ouellette-Michalska, **2.50**
Les demi-civilisés, J.-C. Harvey, **3.00**
Les tours de Babylone, M. Gagnon, **3.00**
Les visages de l'enfance, D. Blondeau, **3.00**
L'Outaragasipi, C. Jasmin, **3.00**
Mourir en automne, C. DeCotret, **2.50**
N'Tsuk, Y Thériault, **2.00**
Porte silence, P.-A. Bibeau,
Requiem pour un père, F. Moreau, **2.50**
Tayaout, fils d'Agaguk, Y. Thériault, **2.50**

Diffusion Europe

Vander, Muntstraat 10, 3000 Louvain, Belgique

CANADA	BELGIQUE	FRANCE
$2.00	100 FB	12 F
$2.50	125 FB	15 F
$3.00	150 FB	18 F
$3.50	175 FB	21 F
$4.00	200 FB	24 F